U0115867

近現代中華文化思想叢刊

孫中山的活動與思想

下冊

桑兵　著

目次

緒論 …… 1

上冊

上編

孫中山與庚子勤王運動 …… 3

一　興漢會與自立軍 …… 4
二　興中會與保皇會 …… 11
三　革命與革政 …… 38
四　餘論 …… 50

庚子孫中山上書港督卜力述論 …… 55

一　問題的提出 …… 55
二　兩廣獨立 …… 58
三　擬定與遞交 …… 64
四　宗旨與策略 …… 71

孫中山生平活動史實補正（1895-1905年）
——《孫中山年譜長編》編輯札記 …… 79

一　澄清史實 …… 81

二　補正細節 …… 95
三　資料與問題 …… 103

孫中山與同盟會的成立 …… 113

一　捨棄興中會？ …… 113
二　全國領袖 …… 121
三　舊說新解 …… 126

同盟會成立時孫中山的政治形象 …… 133

一　文化英雄 …… 133
二　統一與反滿 …… 137
三　天下為公 …… 142

孫中山與新加坡華僑 …… 149

一　早期聯繫 …… 149
二　《圖南日報》 …… 153
三　建立同盟分會 …… 157
四　革命大本營 …… 159
五　擁護共和 …… 166

胡適與孫中山
——從新文化運動到國民革命 …… 171

一　新文化的同路人 …… 171
二　善後會議 …… 180
三　國民革命 …… 191

下冊

陳炯明事變前後的胡適與孫中山 …………………………… 201

一　接近孫「系」 …………………………………………… 201
二　統一與分治 ……………………………………………… 207
三　蘇俄與中共 ……………………………………………… 213
四　依然同道 ………………………………………………… 227

下編

孫中山革命程序論的演變 ………………………………… 235

一　綰以約法 ………………………………………………… 235
二　共和與專制 ……………………………………………… 242
三　革命方略 ………………………………………………… 249
四　約法與《臨時約法》 …………………………………… 254
五　由約法而訓政 …………………………………………… 257
六　始終不渝 ………………………………………………… 261

孫中山與傳統文化 ………………………………………… 269

一　語言工具 ………………………………………………… 269
二　偏好史地 ………………………………………………… 276
三　信而不泥 ………………………………………………… 282

信仰的理想主義與策略的實用主義
——孫中山的政治性格特徵 ……………………………… 293

一　政治性格的兩重性 ……………………………………… 294

二　兩重性的適度……306

孫中山的國際觀與亞洲觀……317

一　強國取向……317
二　本位中心……325
三　濟弱扶傾……334

辛亥前後戴季陶的日本觀……341

一　瞭解與警惕……342
二　頭號大敵……348
三　捩轉潛因……354

《戴季陶文集》與戴季陶研究……363

一　戴季陶其人……363
二　文集的編輯……371
三　日本觀……380

再版後記……389

徵引書目……391

一　著述文獻……391
二　報刊……403
三　檔案……404

索引……405

陳炯明事變前後的胡適與孫中山

孫中山與胡適的關係，雖然經歷了幾個階段的變化起伏，並有若干不可調和的根本分歧，仍大體可以用求同存異來定位。雙方關係的破裂，突出表現於1922年胡適在陳炯明事變中公開站在陳炯明的一邊，指責孫中山的觀念行為。在相當長的一段時期內，胡適因此被貶為帝國主義和軍閥的代言人。近年來過甚其詞的斥責和無限上綱的帽子已被棄置，但孫、陳之爭的是非似乎不容置疑，使得對此態度鮮明的胡適難辭其咎。學人或指其有關言論代表資產階級的右翼勢力，或稱其對現實政治相當隔膜，不明真相，或以為其自由主義的政治立場和獨立超然的文化評價過於超前中國的現實，或者乾脆避而不論。[1]其實，即使以對孫、陳衝突性質的通行認識為前提，胡適的態度與事變本身畢竟不能同日而語。由此透視當時中國各種政治勢力的升降浮沉及其錯綜複雜的相互關係，不僅可以增加對胡適言行的瞭解同情，而且有助於體察各派政治勢力認識中國革命性質與道路的異常艱辛。

一　接近孫「系」

1922年6月中旬，陳炯明發動兵變，與孫中山公開分裂。很少插手政治的胡適一反常態地迅速表態，開始他只是批評孫中山的策略，

1　參見白吉庵：《胡適傳》；歐陽哲生：《自由主義之累——胡適思想的現代闡釋》；胡明：《胡適傳論》。

沒有明確支持陳炯明，不過迴護後者的傾向已然十分明顯。他說：

> 「孫文與陳炯明的衝突是一種主張上的衝突。陳氏主張廣東自治，造成一個模範的新廣東。孫氏主張用廣東作根據，做到統一的中華民國。這兩個主張都是可以成立的。但孫氏使他的主張，迷了他的眼光，不惜倒行逆施以求達他的目的。於是有八年聯安福部的政策，於是有十一年聯張作霖的政策。遠處失了全國的人心，近處失了廣東的人心。孫氏還要依靠海軍，用炮擊廣州城的話來威嚇廣州的人民，遂不能免這一次的失敗。」[2]

接著胡適又連續在《努力》周報發表評論，嚴厲批評國民黨的文化觀念和政治哲學，維護陳炯明的立場和行為。[3]

這時的胡適，雖然才打破「二十年不談政治」的誓願，[4]公開介入政治一年，但他對中國波譎雲詭的政局卻一直沒有停止觀察。這一番話，反映了胡適回國以來的政治思考、政治聯繫和時政見解，與孫中山關係密切、分歧明顯並對其表態起重要作用的，至少有三點：其一，對直、皖、奉系軍閥的態度。其二，對陳炯明其人的認識。其三，對聯省自治和武力統一的看法。

從1919年起，在直、皖、奉幾大派系的軍閥之間，孫中山視直系為頭號死敵，而試圖與皖、奉聯繫結成「三角反直同盟」。[5]胡適從一

2 胡適：《這一周》，《努力》第8期，1922年6月25日。《胡適的日記》1922年6月22日記：「為《努力》作短評幾則。」（中國社會科學院近代史研究所中華民國史研究室編，中華書局香港分局1985年版，第384頁）

3 詳參胡明：《胡適傳論》下卷，第630-631頁。

4 關於胡適談政治的前因，詳見羅志田：《再造文明之夢——胡適傳》七《議政：有計劃的政治》，成都，四川人民出版社1995年版，第248-256頁。

5 詳參邱捷：《孫中山晚年與皖奉軍閥的聯合和鬥爭》，中山大學《孫中山研究論叢》第1集，1983年。

開始對此事就極不以為然。1919年底，他曾就有關傳聞詢問沈定一，沈告以9月徐樹錚、段祺瑞的代表許世英到上海與孫中山會談的情形，據說此事由焦易堂、謝良牧、田桐、光雲錦等人牽線，戴季陶、胡漢民、廖仲愷、朱執信很反對，「其中以朱執信反對最烈」。戴季陶也「根本的反對」，只是他和孫中山口頭契約：「背後不反對他；不用文字反對他。」所以暫時不下什麼批評，將來或許用很尊敬的態度對孫中山進行批評。孫中山則認為此事是「一種政策」，北方政府和談總代表王揖唐到上海後，孫中山撇開做投機生意的焦、謝等人，另找居正、許某某，「代表他往來做電話機」。

胡適的詢問函今不見，從沈定一的覆函中可以揣測其意思。沈開頭說了一段表態的話：「你所要知道的事，早想寫信給你。吳稚輝先生曾對孫先生說：『你要做政治家，就得做藏垢納污的政治家。』我很不願意報告這種消息，所以沒有給你信。現在你來問這裡的情形，我可以舉我所知道的告訴你。」這很明顯是自我開脫，而與胡適靠近。他稱辦此事為「做這票投機生意」，顯然也是屬於藏污納垢的政治行為，並且明確告訴胡適：

> 「總之，孫＋段＝『子殳』，『糸』和『段（去殳）』是萬萬合不攏的。就形勢上看，如果『子殳』成功了，『係』一派必定與手無寸鐵的新思想界融洽；此外南北各派的變動，也可推想而知。」[6]

這等於說一旦孫、段同盟實現，孫系的戴、胡、廖、朱等人將倒

---

6 1919年12月16日沈定一致胡適，《胡適來往書信選》上冊，第77-78頁。許世英、王揖唐與孫中山會見時間，參見王光遠編：《陳獨秀年譜》，重慶出版社1987年版，第73頁；陳錫祺主編：《孫中山年譜長編》下冊，第1205-1206頁。

向新文化派一邊。

沈定一是否能夠代表孫「系」發言，另當別論，當時戴、胡、廖、朱等人，與新文化派的關係的確比孫中山走得更近。他們辦的《星期評論》和《建設》雜誌，得到胡適的高度評價，不僅引為同調，而且另眼看待。從體裁到格式與《每周評論》十分相像的《星期評論》出版後，胡適看過第1期以為不過是《每周評論》第二，第2期則發覺不同凡響，其特色有三：一、有一貫的團體主張；二、這種主張是幾年研究的結果；三、所主張的都是腳踏實地的具體政策，而不是抽象的空談。這種一貫的團體主張與新文化派的忙裏偷閒雜湊起來的個人主張相比，不僅較為成熟、具體、實際，更重要的是「使思想革新的運動能收實地的功效」。難怪胡適在「歡天喜地的歡迎我們的兄弟出世，更祝他長大，祝他長壽」之餘，還要高呼「萬歲」了。兩個月後，胡適在介紹新出版物時，對《建設》的主張趨向以及所發表的文章，也給予了高度評價。

如果說新文化派影響國民黨人的主要在宣傳，國民黨人影響新文化派的則首在組織。因為思想革新要落在實處，便不得不依賴組織的功能。所以胡適希望中國輿論界仿傚《星期評論》的榜樣，「漸漸的廢去從前那種『人自為戰』的習慣，採用『有組織的宣傳方法』，使將來的中國真成一個名實相副的新共和國！」[7]而且宣傳的影響重在形式（包括舉辦報刊和使用白話文），至於內容的主義方面，則作用較小。相比之下，集中精力完善其思想理論的孫中山受影響的程度較從事宣傳的戴、胡、廖、朱等人為輕。

胡適在《每周評論》第28號出版之日，特致函《星期評論》，將《每周評論》寄上。戴季陶收到信和刊，一日之內兩次致函胡適，分

7 《歡迎我們的兄弟——〈星期評論〉》，《每周評論》第28號，1919年6月29日。

別代表《星期評論》和即將創刊的《建設》雜誌，表示感激之外，希望胡適和大學的各位同志來稿，批評指教，並幫助尋找代派所[8]。胡適不負所望，先後在《星期評論》發表《女子解放從哪裡做起》、《談新詩》，並與廖仲愷、胡漢民、朱執信等人反覆辯論井田問題刊載於《建設》雜誌。《星期評論》和《建設》雜誌一直寄贈胡適，直到1920年6月，胡漢民還為《建設》可能停刊而感謝胡適「向我們一番的同情」，並且表示：「我們對於社會的貢獻，文字的努力，斷不敢因這定期出版品停止，就拋棄不顧。先生有心指導我們種種底話，也切不可因此就不和我們說，這是我們最盼望的事。」[9]

戴、胡、廖、朱等人也常常參與新文化派的討論，對胡適的言論著述有所回應、支持、補充或批評，以示聲氣相通，擴大影響。如戴季陶認為胡適的《中國哲學史大綱》「在中國思想界上的勢力和影響，可算大得極了」，並天天盼望其「趕快把中古史、近代史竣功，讓全國那些讀死書的人覺悟轉來。」同時指出經濟發展史的著作更重要，一時代的思想，受一時代經濟組織的影響很大。而胡適也注意及此，希望有專門學者下這一工夫。[10]朱執信則對胡適在《李超傳》中提出的家長族長專制、女子教育、女子承襲財產、有女不為有後等問題進一步指出更根本、更明瞭的幾個問題，如財產承襲、財產私有、家族制度的存續等。[11]

與對文學隔漠的孫中山有異，戴、胡、廖、朱等人的舊文學功底不錯，對新文學也不無興趣，戴季陶和朱執信還分別寫過白話小說。朱執信本來對「國語的文學，文學的國語」有所保留，因為自己未學

8 《胡適來往書信選》上冊，第61-62頁。

9 1920年6月23日《胡漢民致胡適》，《胡適來往書信選》上冊，第100頁。

10 戴季陶：《隨便談》，《星期評論》第11號，1919年8月17日。

11 朱執信：《女學生應該承襲的財產》，《建設》第2卷第2號，1920年3月。

足白話，所以贊成白話體而不寫白話文。[12]但後來也改用白話文，並在胡懷琛與胡適就《嘗試集》關於新詩音節的討論中，結合胡適的《談新詩》表述己見，反駁胡懷琛，而深化胡適的論點。[13]胡適為此在《嘗試集》再版自序裏略加引申有關論點，又在發表答胡懷琛函時專門附言對朱執信等人替自己辯護的話表示謝意。[14]

更為重要的是，孫「系」主動將國民革命與新文化運動直接聯繫起來。戴季陶認為1919年是其「十年來最滿意的一年」[15]，「大凡一國的政治革新和社會進化，文學的感化力最大。文學裏面，詩歌和小說的力量更是普遍的。『三民主義』這個名詞，靠著散文的鼓吹，造成了一個空招牌的民國。今後如果要把組織新國家新社會的真理，印到多數國民的腦髓裏去，韻文的陶融一定是少不了的。」[16]1919年8月5日，中華民國學生聯合會評議部舉行閉會式，孫中山到會演說及會後談話中，主張革命為革命黨畢生唯一的事業，引起康白情的不解和不滿，致函戴季陶加以申論。戴季陶的覆函表述其積極的意見道：

> 「一全人類的普遍平等的幸福，是革命究竟的目的。二中國國家和社會的改造，是革命現在進行的目的。三中國人民全體經濟的生活改善和經濟的機會平等，是現在進行目的的理想形式。四普遍的新文化運動，是革命進行的方法。五智識上思想上的機會均等和各人理智的自由發展，是新文化運動的真意義。六文字及語言之自由的普遍的交通和交通器具的絕對普及

---

12 朱執信：《復黃世平函》，《建設》第1卷第1號，1919年8月。

13 朱執信：《詩的音節》，《星期評論》第51號，1920年5月23日。

14 耿雲志、歐陽哲生編：《胡適書信集》上冊，北京大學出版社1996年版，第242頁。

15 戴季陶：《民國九年的工作》，《民國日報》（上海）1920年1月1日。

16 戴季陶：《白樂天的社會文學》，《星期評論》第4號，1919年6月29日。

（如注音字母），是造成理智上機會均等的手段。七平和的組織的方法及手段，是革命運動的新形式。」

他還提出要「排除以兵代兵，以官代官那樣的以暴易暴的偽革命」[17]。

後來在與朋友談話時，回答後者關於革命的效果不行，離開政治能否尋求解決問題的辦法的疑問，他更加直截了當地聲明：「你以為一定要炸彈、手槍、軍隊，才能夠革命，才算是革命，那就錯了。平和的新文化運動，這就是真正的革命！這就是大創造的先驅運動！」以當時情勢論，倘若不願意亡國，便「只有猛力做新文化運動的工夫」。[18]

孫「系」以國民革命向新文化運動靠攏，思想上不免顯露出游離於國民革命原來的精神支柱——孫中山及其主義的傾向，反對與軍閥交易是其一，主張正大光明地從事新文化運動是其二，戴、胡、廖、朱等人不約而同地受唯物史觀的影響，不僅僅宣傳孫中山的學說和主張是其三。孫「系」的社會主義傾向使得其中一些人不僅同情蘇俄和共產主義者，而且參與中國早期共產主義者的組黨活動，令孫中山大為不滿。

二　統一與分治

不過，孫「系」與新文化運動的接近，共鳴最多的並非胡適，至少發展趨向不以胡適的主張為皈依。而且在孫中山一貫思想的主導

17 戴季陶：《革命！何故？為何？》，《建設》第1卷第3號，1919年9月。

18 戴季陶：《短評》，《星期評論》第17號，1919年9月28日。

下，國民黨人關注新文化運動的目的還是要解決政治問題。1919年11月，戴季陶撰文批評當時思想界和社會人士只「注目在社會問題，政治問題差不多沒有人去研究。即使有一兩篇關於政治問題的文字登載出來，也引不起人的注意。而且多數熱心的人差不多都很厭棄這一種著作。」他呼籲：「我們不能厭棄政治，我們還要研究他。我們不放任官僚、武人、政客、紳士的專橫，我們還是要驅除它打破它。我們不是不要全消費社會的組織，我們只是要改造他整理他。」[19]朱執信也斷言：「缺了可以實行的方案，新文化終歸破產。」[20]新文化派分離後，其中的共產主義者與國民黨逐漸走上政治聯盟的道路。

在此期間，從1921年5月起，胡適不顧他人勸阻，打破誓言，開始講政治了。只是恰好應了吳稚輝對孫中山說的那句話：「你要做政治家，就得做藏垢納污的政治家。」早在1920年，上海的國民黨人就誤信胡適與研究系接近而有惡評。[21]朱執信曾撰文論道：

> 「從前胡適之叫人不要多談主義，要多研究一點問題。在我看，談主義，談問題，是一樣的。現在的人何嘗不談問題，不過談的並不是研究，只是一個空談罷了。真要研究問題，自然也研究到一個主義上來，沒有可以逃得過的。現在談主義的人，人還曉得他是在新文化運動之外。談問題的就要走進新文化的內部來占一個位置了，所以危險最大。」[22]

---

19 戴季陶：《政治問題應該研究不應該研究》，《星期評論》第24號，1919年11月16日。

20 朱執信：《新文化的危機》，廣東省哲學社會科學研究所歷史研究室編：《朱執信集》下集，北京，中華書局1979年版，第882頁。

21 1920年12月16日《致胡適之、高一涵》，任建樹、張統模、吳信忠編：《陳獨秀著作選》第2卷，第223頁。函中的「南方」，應指上海的國民黨人。

22 朱執信：《新文化的危機》，廣東省哲學社會科學研究所歷史研究室編：《朱執信集》下集，第881頁。

陳獨秀也告誡胡適：「我總是時時提心弔膽恐怕我的好朋友書呆子為政客所利用」[23]。事實上好政府主義的美夢，確是在直系軍閥吳佩孚的控制下進行。[24]胡適為此一度與吳佩孚的「諸葛亮」孫丹林來往，輕信吳、孫兩人可以「相助為善」。[25]而吳佩孚是孫中山的死敵，聯吳實在犯了國民黨的大忌。在為陳炯明辯護時，胡適又將其叛孫與吳佩孚推倒段祺瑞，趕走徐世昌，背叛曹錕相提並論，稱為「革命」，反對用「悖主」、「犯上」、「叛逆」等「封建時代的貴族的舊道德觀念來評判現代的行為」。[26]胡適交友常常是但問人品，不分政見，本來容易遭人物議，黨同伐異的國民黨自然不能容忍。邵力子便寫了《叛逆與革命》，指責胡適替陳炯明辯護，為吳佩孚捧場，是居心難問。[27]

胡適雖然一再聲稱自己批評孫中山和國民黨「並不是替陳炯明辯護」，字裡行間還是明顯表示出對陳炯明的偏袒，在後者未發一個負責任的宣言的情況下，僅憑旁觀者看見一個實力派與另一個實力派決裂，就武斷地將陳炯明在廣東推翻孫中山的勢力，認作一種革命的行動，進而指責孫中山「倒行逆施」，將孫派譴責陳炯明的言論視為「舊道德的死屍的復活」，這不能不引起國民黨人的極大憤怒，上海《民國日報》的反應尤為強烈，孫中山對此也耿耿於懷。直到1924年8月，廣州《民國日報》刊登孫中山《民權主義》第一講時，在右上方的《響影錄》專欄刊出題為《少談主義》的短文，其中引用胡適「多

23 1921年2月15日《致胡適之》，任建樹、張統模、吳信忠編：《陳獨秀著作選》第2卷，第275頁。

24 參見許紀霖：《中國自由主義的烏托邦——胡適與「好政府主義」討論》，《近代史研究》1994年第5期。

25 中國社會科學院近代史研究所中華民國史研究室編：《胡適的日記》，第383頁。

26 胡適：《舊道德的死屍的復活》，《努力》第12期，1922年7月23日。

27 《民國日報》（上海）1922年7月27日。

研究問題，少談主義」的話，孫中山閱後大為震怒，當即批示道：

> 「編輯與記者之無常識一至於此，殊屬可歎！汝下段明明大登特登我之『民權主義』，而上面乃有此『響影錄』，其意何居？且引胡適之之言，豈不知胡即為辯護陳炯明之人耶？胡謂陳之變亂為革命。著中央執行委員會將此記者革出，以為改良本報之一事。」[28]

僅此一斑，可見結怨之深。

胡適對政治不算敏感，時有幼稚舉動，但他貿然發言，多少還是有些依據。陳炯明自五四運動以來，在漳州提倡新文化，刷新政治，頗得社會各界的好評，連「左傾」的北京大學學生考察後，也稱為「閩南的俄羅斯」。[29]胡適對其印象不錯，當在情理之中。陳炯明事變時，胡適從一些管道瞭解事件原委經過，不免有偏聽則暗之嫌。其日記所載，8月13日「畢業生唐〔譚〕鳴謙自廣州來，談廣東事甚詳。我請他為《努力》作一文。廣州之亂事正未有已時。陳炯明手下毫無人才；此人堅忍有餘，果斷不足。此時民黨四面起來，孫文前日雖已退出廣東，但孫黨終不忘報復，亂事一時正不易收拾。」譚鳴謙的長文《述孫、陳之爭》在《努力》第16期（1922年8月20日，署名「滌襟」）發表，於總共16欄中佔了13欄。[30]胡適自稱：「對於孫、陳之

28 廣東省社會科學院歷史研究所、中國社會科學院近代史研究所中華民國史研究室、中山大學歷史系孫中山研究室合編：《孫中山全集》第10卷，北京，中華書局1986年版，第482頁。

29 《北京大學學生周刊》第14號，1920年5月1日。

30 中國社會科學院近代史研究所中華民國史研究室編：《胡適的日記》，第430頁。胡適的看法，均來自譚鳴謙的文章，其中一段分析孫、陳二人的資性道：「中山的資性。近於高明，競存的資性，近於沉毅，兩人都有各個的長處。至中山富於革命的

爭，因為不容易得確實消息，所以不曾發表什麼偏袒的意見」，卻相信譚鳴謙對事件的看法，還專門說明譚「是沒有黨派成見的人，此次自廣州避亂來上海，做了這篇文章，說明孫、陳分家的歷史。他自己也有時加上一點評判。我們覺得他的態度很平允」。從該文中，胡適又進一步發現，「我們的主張所以招怨的原故全在我們不曾完全瞭解孫派用秘密結社來辦政黨的歷史」[31]，因而對國民黨的組織觀念再進行一番抨擊，又自以為是地稱對孫黨的批評引起大反對，說明「其實我的話正中他們的要害」。

8月20日，陳達材從廣州來訪，談廣州近況甚悉，胡適亦請其為《努力》作一文。其實陳達材是陳炯明的策士（一說機要科秘書），主張聯省自治，曾秉承陳炯明的意旨，參與制定《廣東暫行縣自治條例》、《廣東暫行縣長選舉條例》，又在陳炯明的操縱下，與汪精衛、金章、廖仲愷、陳公博等20人組成憲法討論會，以浙江、湖南兩省省憲為參照，草擬《廣東省憲法草案》、《廣東自治條例草案》。[32]他不僅

精神，而缺乏革命的政策，競存堅忍有餘，而果斷不足，這又是兩人瑕瑜互見的。若剛愎自用四個字，則兩人同具有這種毛病，而競存為尤甚。競存為人，絕對不能容納他人意見，凡意見出自自己，都是好的，出自別人，都是不好的。故競存左右，可謂之絕無人才，都是一副傳聲器，或是一副被動機械，只供他傳達號令，或被駕馭，稍足稱人才的，都不樂為他用，故這回舉動，太過不光明磊落，都是缺乏人才，為一個最大的原因。」

31 《這一周》，《努力》第16期，1922年8月20日。

32 段雲章、陳敏、倪俊明：《陳炯明的一生》，鄭州，河南人民出版社1989年版，第199-203頁；林誌鈞、畢侶、鍾凜之：《陳炯明倡行聯省自治及民選縣長見聞》，中國人民政治協商會議全國委員會、廣東省委員會、廣州市委員會文史資料研究委員會合編：《孫中山三次在廣東建立政權》，北京，中國文史出版社1986年版，第171-172頁。陳伯衡《對廣東黨組織成立情況的回憶》稱：「聯省自治是陳炯明提出的，由陳達材（是陳炯明的機要科秘書）去計劃宣傳。」（中國社會科學院現代史研究室、中國革命博物館黨史研究室選編：《「一大」前後：中國共產黨第一次代表大會前後資料選編》（二），北京，人民出版社1980年版，第488頁）

偏袒陳炯明，後來還代表陳炯明向胡適說項。胡適日記載，8月24日，「陳達材來，帶來《再述孫陳之爭》文一首。達材談廣州近事，很不滿意於中山一派。……現在吳佩孚一派大概是想擁孫文來倒黎元洪。孫文在他的本省不能和陳炯明相安，而想在北方的『三大』之中做媳婦，真是做迷夢了。」[33]

陳達材認為，譚鳴謙的《記孫陳之爭》前半大概是事實，後半評孫、陳資性，則很有不盡不實之處，在補充孫先倒陳的事實後，他總結道：兩人的衝突是由主義的衝突而演變為地盤之爭，陳的聯邦主義尚未實現，孫的武力統一則已部分實行，造成兩粵兵民相殺，兵兵互殺，使得廣西糜爛，非數十年不能復原。「若革命所得的結果，仍舊是犧牲流血，是我們不能贊成的了。何況除了這種武力統一主義還有別的方法」[34]，明顯站在陳炯明一邊。所以後來陳獨秀批評道：「陳炯明在辛亥革命時代，在漳州時代，在討伐陸榮廷、莫榮新時代，都是一個很好的革命黨，後來阻撓北伐軍、驅逐孫中山，便是反革命的行為了。胡適之先生說陳對孫是革命行動，這實在是一個很大的錯誤，因為陳炯明舉兵逐孫，不但未曾宣告孫中山反叛民主主義之罪惡及他自己有較孫更合乎民主主義之主張，而且逐孫後，做出許多殘民媚外的行為，完全證明他是一個反革命的軍閥。」[35]

武力統一還是聯省自治，在當時中國成為一大政治中心問題。對此胡適的主張剛好與陳炯明一致，而與孫中山截然相反，這可以說是胡適支持陳炯明反對孫中山的重要原因。胡適根本反對武力統一，認為「武力統一是絕對不可能的，做這種迷夢的是中國的公賊！」而民

33 中國社會科學院近代史研究所中華民國史研究室編：《胡適的日記》，第425、436-437頁。

34 林生：《再述孫陳之爭》，《努力》第17期，1922年8月27日。

35 《革命與反革命》，任建樹、張統模、吳信忠編：《陳獨秀著作選》第2卷，第404頁。

主主義的大革命，一時也不會實現，「希望用大革命來統一，也是畫餅不能充饑。」[36]按照胡適的看法，「軍閥的割據是武力統一的迷夢的惡果」，「裁制軍閥與打倒軍閥的一個重要武器在於增加地方許可權，在於根據於省自治的聯邦制」。[37]基於這一認識，他積極回應李石曾、蔡元培等人的提議，於1922年6月上旬聯名致電孫中山，勸其結束護法，以國民資格出來為國事盡力。同時反對吳佩孚繼續做武力統一的迷夢，認為即使以武力實現統一，也不過仍是一個軍閥。[38]

影響胡適對陳炯明態度的譚鳴謙和陳達材，恰好也是堅決主張聯省自治之人。1920年軍政府移粵後，譚鳴謙在《廣東群報》上數論聯省政府，駁斥聯省自治的各種反對論，他認為反對論可分四說，即歷史關係說、武力統一說、有力政府說、無形瓜分說，除「武力統一說絕對沒存在的理由，且已經駁論外，其餘三說，亦屬於邏輯所謂似是而非的推論」，呼籲在聯省自治「差不多迫近瓜熟蒂落的時期」，加以「呵護保育」。[39]陳達材不僅協助陳炯明策劃宣傳聯省自治，還在《努力》第18期（1922年9月3日）上發表《我國的聯邦問題》，認為中國不適宜單一制，應立刻採用聯邦制。

三　蘇俄與中共

正當胡適與國民黨的衝突愈演愈烈，不知如何收場時，事情出現了轉機。是年8月，李大釗南下上海，參加中共中央的特別會議，與

36 《這一周》，《努力》第22期，1922年10月1日。

37 《聯省自治與軍閥割據——答陳獨秀》，《努力》第19期，1922年9月10日。

38 中國社會科學院近代史研究所中華民國史研究室編：《胡適的日記》，第367、428-429頁。

39 譚鳴謙：《三論聯省政府——闢聯省自治的反對論》，《廣東群報》1921年6月6日。

孫中山會晤，加入國民黨。[40]8月30日，胡適接到李大釗的來信，後者告以「中山抵滬後，態度極冷靜，願結束護法主張，收軍權於中央，發展縣自治，以打破分省割據之局。洛陽對此可表示一致，中山命議員即日返京。昨與溥泉、仲甫商，結合『民主的聯合戰線』democratic front 與反動派決戰。伯蘭稍遲亦當來京，為政治的奮鬥。《努力》對中山的態度，似宜讚助之。」並囑胡「將此情形告知夢麐、一涵諸同人」。[41]

李大釗致胡適函為解開糾纏不清的各方關係提示了一條線索，如果照此辦理，則孫、吳矛盾，武力統一與聯省自治的對立均不復存在，胡適與孫中山的衝突也將迎刃而解。這是中國共產黨在蘇俄和共產國際的壓力下，對於時局採取的謀略。此函內容及胡適的反應極為微妙，各家但取其中一二片段，圓成己說，而不及各方面的牽連關係。其實是函包含理解胡適有關言行的重要線索，值得深究。

胡適論政，一定程度上受到中國共產黨人的影響。可以說，陳炯明事變前後，胡適與蘇俄和中共走得相當近。儘管思想和時政方針上均存在分歧，他不僅與中共領導人陳獨秀、李大釗等保持良好關係，而且毫不避諱地與蘇俄來華的官方人士進行接觸，與為共產國際提供報告的俄共黨員天津大學教授柏烈偉有所交往。[42]他對於吳佩孚、陳

40 張靜如、馬模貞、廖英、錢自強編：《李大釗生平史料編年》，上海人民出版社1984年版，第185頁。

41 中國社會科學院近代史研究所中華民國史研究室編：《胡適的日記》，第442頁。有關此函的解說，參見陶季邑：《關於李大釗致胡適一封信的日期及其意義》，《近代史研究》1998年第3期。

42 中國社會科學院近代史研究所中華民國史研究室編：《胡適的日記》，第125頁。在俄共成立專門負責中國事務的機構之前，有關工作由個別僑民進行，柏烈偉是其中重要一員。 他曾向維經斯基提供情況報告，並和後者一起前往廣州活動（見1920年6月《維經斯基給某人的信》、《關於俄共（布）中央西伯利亞局東方民族處的機構和工作問題給共產國際執委會的報告》、《索科洛夫-斯特拉霍夫關於廣州政府的報

炯明的看法，顯然有中共中央及北京、廣東支部意見的影子。胡適踏足政壇，雖以《努力》為根據，真正涉及時政大事，似乎更加喜歡與李大釗交換意見。他們曾是好政府主義的同道，雖然不久李大釗因中共中央的決議而退出，和吳佩孚的關係依然保持。胡適第一次做政論寫《我們的主張》，半夜脫稿時首先打電話與李大釗商議邀人開會。與吳佩孚的高參接觸，也由李居間介紹。胡適對吳佩孚的相當勉強的好感，多半來自李大釗的影響。後者告訴胡適：「吳佩孚甚可敬，他的品格甚高，只是政治手腕稍差一點。」而胡適覺得「其實政治手腕也很難說。究竟徐世昌的巧未必勝似吳佩孚的拙。」[43]除集體會議外，兩人還多次單獨長談或用電話討論國事。

胡適對陳炯明的看法，應當也與李大釗（甚至陳獨秀）交換過意見，或受其意見的影響。在對待孫中山與陳炯明之爭的態度上給予胡適影響或立場接近的譚鳴謙和陳達材，均為北京大學畢業生，他們於1920年夏季和另外兩位北大畢業的陳公博、譚植棠回到廣州，進行新文化運動，參與創建廣東共產主義小組。譚鳴謙即譚平山，陳炯明事變前擔任中共廣東支部書記。陳達材後來雖然沒有參加組建中共廣東支部，[44]也和其它幾人一樣，由擔任廣東教育委員會委員長的陳獨秀援引進入教育行政界，與陳獨秀關係密切，後者還薦其擔任東莞中學

告》，中共中央黨史研究室第一研究部譯：《共產國際、聯共（布）與中國革命檔案資料叢書》第1卷《聯共（布）、共產國際與中國國民革命運動（1920-1925）》，第30、50、60頁）。後來柏氏改任北京大學教授。

43 中國社會科學院近代史研究所中華民國史研究室編：《胡適的日記》，第377頁。

44 李達《中國共產黨的發起和第一次、第二次代表大會經過的回憶》、梁復然《廣東黨的組織成立前後的一些情況》稱陳達材參加了共產主義小組，梁文並稱其後來退出該小組，未參加共產黨。袁振英則說陳達材未參加共產黨小組（均見中國社會科學院現代史研究室、中國革命博物館黨史研究室選編：《「一大」前後：中國共產黨第一次代表大會前後資料選編》（二），第8、447、474頁）。

校長，並責以大義。他們與陳獨秀、李大釗等人的關係既是師生，又是精神導師與進步青年，甚至還是上下級，因而一直來往密切。陳達材也認識李大釗，胡適還是看了陳達材給李大釗的信，才知道當時陳獨秀與陳炯明的關係非同一般，從而增加對後者的好感。[45]

1922年8月以前，共產國際和蘇俄的主要傾向，是主張支持北方的吳佩孚和南方的陳炯明，對孫中山與陳炯明之間的矛盾，看法因人而異，沒有區分是非曲直，總體評價甚至有利於陳炯明。[46]而北京和廣東的中共黨組織分別採取了支持吳、陳的策略。[47]廣東的共產黨組織與陳炯明的關係尤深。1920年10月以前，廣東在桂系軍閥的盤踞下，「充滿嫖賭及勢力發財的空氣，簡直與新文化絕不相容」[48]。陳炯明率軍趕走桂系，實行改革，年底，陳獨秀應陳炯明之請到廣州擔任廣東革命政府教育委員會委員長，其間得到陳炯明的支持和保護，「因廣東政治向來以中飽、納賄、敷衍為要素，而仲甫獨不然，因此各人都感不便」，很快遭到各方面的疾視，成為眾矢之的。「若非陳炯明一心信任，早就離粵了」。1921年5月陳獨秀一度被迫離開廣州，陳炯明還將其追回。[49]

廣東支部的譚平山、陳公博、譚植棠等人從事辦報辦學活動，都得到陳炯明的資助，雙方還合辦《廣東群報》。這份被認為中共廣東

45 中國社會科學院近代史研究所中華民國史研究室編：《胡適的日記》，第65頁。

46 參見段雲章：《共產國際、蘇俄對孫中山陳炯明分裂的觀察和評論》，《中山大學學報論叢・近代中國研究叢刊》2000年第3期。

47 詳參吳應銧：《「孫吳聯合」與1920-1923年蘇俄的對華政策》，廣東省孫中山研究會主編：《孫中山研究》第2輯，廣州，廣東人民出版社1989年版，第90-111頁；韋慕廷著，楊慎之譯：《孫中山——壯志未酬的愛國者》，廣州，中山大學出版社1986年版，第131頁。

48 1920年8月2日《陳公博致胡適》，《胡適來往書信選》上冊，第107頁。

49 中國社會科學院近代史研究所中華民國史研究室編：《胡適的日記》，第65頁。

支部機關刊物的編輯中有陳炯明的親信，因而在孫中山與陳炯明分歧磨擦時偏袒後者，引起孫派的不滿，認為陳獨秀等共產黨人支持陳炯明而與孫中山搗亂。[50]後來蔡和森談及陳炯明事變前中共的政策時說，當時在北方是借吳佩孚的勢力打倒交通系在京漢鐵路的勢力，在南方因陳炯明自五四運動後，不但贊成民主革命，並且日益贊成社會革命，學列寧，短期內與之發生聯繫，合辦《閩星》、《廣東群報》，「這是對於黨有利益的」。[51]

陳炯明事變後，中共中央因廣東支部偏袒陳炯明反對孫中山而處分主要成員，受處分的陳公博一直不承認自己偏袒陳炯明，譚平山似乎也不服氣，個中原因，很可能是適值中共中央調整策略，不能不對廣東支部成員加以懲治，以表明擁孫反陳的姿態。而這並非中共中央的一貫精神，令廣東支部成員產生怨氣。陳炯明事變前，無論在政治上還是策略上，中共對孫、陳均難作取捨，中央與地方支部的意見不一，中央本身的態度也不夠明確。甚至可以說，支持陳炯明比較自覺，而與孫中山聯合則十分勉強，因而對雙方的明爭暗鬥一直左右為難，態度曖昧。

1922年4月26日，中共在廣州召集幹部會議，議題之一是討論國共關係，因為4月4日在杭州召開的中共中央全會上，馬林建議共產黨人加入國民黨，未被接受。4月6日，陳獨秀寫信給共產國際遠東局代表維經斯基，反對馬林關於全體共產黨員和青年團員加入國民黨的建

50 張國燾：《我的回憶》第一冊（上），香港，明報月刊版，第127-129頁。

51 《吾黨產生的背景及其歷史使命》，中共廣東省黨史研究委員會辦公室、廣東省檔案館編：《廣東檔案史料叢刊 ·「一大」前後的廣東黨組織》，1981年版（內部刊物），第65頁。關於《廣東群報》的歸屬，意見頗為分歧。1922年6月30日張太雷致蔡和森等人函稱：「《群報》仍為陳之機關報，要改組非我一人之力能辦到。」（孫道昌編：《廣東革命歷史檔彙集：1922年-1924年（群團檔）》，中央檔案館、廣東省檔案館1983年版，第10頁）則至少此時該刊並非中共廣東支部的機關報。

議，所列舉的6條理由包括：國共兩黨宗旨及基礎不同；國民黨聯美國、聯張作霖、段祺瑞等政策和共產主義太不相容；國民黨未發表黨綱，在人民看來，仍是爭權奪利的政黨；廣東實力派陳炯明反對孫中山派甚烈，加入國民黨將立即受其敵視，在廣東不能活動；孫中山派向來對於新加入分子，絕對不能容納其意見及假以權柄；中共各區均已開會反對等等。[52]

陳獨秀的看法與中共廣東支部成員的意見相當吻合，在廣州幹部會議上，林伯渠支持孫中山，譚平山、陳公博、譚植棠等多數人則批評孫而支持陳炯明，認為孫、陳不和是由於陳受到孫左右的排擠，讚揚陳同情社會主義，曾以省政府名義竭力支持香港海員罷工等。主持會議的陳獨秀左右為難，做結論時主張與國民黨所有革命分子合作，避免捲入其內部鬥爭。[53]儘管其間少共國際代表達林再次建議組織加入國民黨，中共同意黨外合作，結成統一戰線，但反對加入國民黨。5月，陳獨秀在陳公博、陳秋霖、黃居素等人陪同下，前往惠州與陳炯明會晤。他看出孫、陳之間難免爆發大衝突，應知有所適從，論道理是應當聯孫，論力量是應當聯陳，[54]依然難以取捨。

---

52 《陳獨秀致吳廷康的信》，中央檔案館編：《中共中央檔選集》第1冊（1921-1925），第15頁。

53 張國燾：《我的回憶》第一冊（上），第224-225頁。達林稱廣州黨組織的代表對於加入國民黨，建立統一戰線之事不發表意見，實際上支持陳炯明，反對孫中山；張國燾反對統一戰線；張太雷、瞿秋白支持達林，陳獨秀則動搖不定（達林：《中國回憶錄（1921-1927）》，北京，中國社會科學出版社1981年版）。

54 陳公博：《我與共產黨》，轉引自石源華：《陳公博這個人》，上海人民出版社1997年版，第56頁。此行目的，各說不一，陳秋霖說是「勸競存加入共產黨，領導華南發展。競存則兜著大圈子，本其平日口吻，縱談『各取所需』與『各取所值』這二大原則，暗示他正懷疑馬克斯的生產方式和分配法則。獨秀又說要幹不能徒恃軍隊，廣大工人群足負很大的任務。競存更是反對，他說現階段中國勞動運動只宜作『勞工教育運動』，最不好是拿勞工做政治本錢，這惡風氣一開了頭，往後將不可收拾。獨秀抹了一鼻子灰，怏怏而退。」（梁冰弦：《解放別錄》，沈雲龍主編：《近代陳炯明事變令孫、陳公開敵對，中共左右逢源的平衡政策無法維繫，不得不作出非此即彼的取捨。7月，中共「二大」通過了《關於「民主的聯合戰線」的議決案》，呼籲與國民黨等革新團體建立民主聯合戰線。而事變幾乎使孫中山喪失了一切可以討價還價的本錢，從而打消了他的顧慮，與蘇俄和中共變得易於接近。正是在這樣的情況下，孫中山、蘇俄和中共之間交涉已久的聯俄容共開始付諸實施。不過，上述各方對於這一相互關聯的政治行為的利益態度存在諸多分歧，陳炯明事變究竟如何打破僵局，取得協調，還須深入探討。

陳炯明事變前，馬林和達林等人均與孫中山有過接觸，磋商的問題主要有三點：1. 接受蘇俄的援助，與蘇俄結盟；2. 改變單純軍事路線，以宣傳和組織方式動員民眾尤其是工人；3. 與中共合作。孫中山的態度是，表示出聯俄的意向，須留待以後；對動員民眾有興趣，仍堅持以軍事路線為主；中共黨員個人可以加入國民黨，但要照國民黨的規矩並服從其領導。對於後者，中共中央堅決反對，主張黨外對等聯合。而蘇俄方面，在俄共的統一領導下，共產國際、外交委員會、遠東共和國等利害有別，側重不一，聯俄將使中國和遠東的局勢朝著有利於蘇俄的現實需求方面發展，國共合作則可以推動東亞的民族解放運動。相比之下，俄共對於蘇維埃政權的生死存亡更為關注。

陳炯明事變後，孫中山顯示了高度靈活的政治智慧和策略，他立即表示以蘇俄為「中國革命唯一實際的真誠的朋友」，使聯俄由可能變為現實，又很快答應蘇俄對中東鐵路等利益要求，允諾和死對頭吳佩孚結盟，這對一直努力運動中國南北政權卻收效不大的蘇俄來說，

中國史料叢刊》第19輯之188，臺北，文海出版社196）8年版，第39頁）張國燾則推測陳獨秀的用意「似乎是企圖從旁勸說孫、陳之間避免火拼。但這種活動為時已晚了。他覺得事不可為」(《我的回憶》第1冊（下），第231頁）。

無異於看到成功的希望。[55]由於失去軍事力量，孫中山可以承諾不走單純軍事路線。在與中共聯合的問題上也有所鬆動，同意中共黨員加入國民黨，手續可以不同，允許其在國民黨外保持獨立地位。

孫中山雖然在與陳炯明的衝突中嚴重受挫，卻是唯一可能代表南方政權與北方和解，並擔任全國性政治首腦的人物，為蘇俄實現其對華政策的最佳選擇之一。他的表態使蘇俄和中共的天平最終倒向自己一邊，而且加速了這一進程。馬林清楚地看到：「由於孫中山在廣州的失敗，迫使他不得不按照發展現代群眾運動的路線來考慮問題，其次，考慮從俄國取得援助。」[56]而通過事變暫時鞏固了地位的陳炯明，陷入與前此孫中山相近似的顧慮，擔心英國政府及港英當局的反對，不願主動與蘇俄拉關係。在蘇俄與孫中山的關係日趨密切的情況下，陳炯明對蘇俄的態度越來越壞，轉而向港英當局乞援。[57]

受到蘇俄和共產國際的影響壓力，4月底廣州幹部會議後，中共對國民黨的態度已經有所變化，6月發佈的《中國共產黨對於時局的主張》，明確指出國民黨在中國現存各政黨中「比較是革命的民主派，比較是真的民主派」，提議與國民黨及社會主義各團體召開聯席會議，建立統一戰線。5月陳獨秀會見陳炯明，對其印象有較大改變。6月底陳獨秀致函維經斯基，談到陳炯明事變時說：「南方孫文與陳炯明分裂，孫恐不能制陳，陳為人言行不能一致，在南方也不能有

---

55 關於蘇俄極力促成孫吳合作的動機目的，參見邱捷：《越飛與所謂「孫吳合作」》，《近代史研究》1998年第3期。

56 伊羅生：《與斯內夫利特談話記錄——關於1920-1923年的中國問題》，中共中央黨史研究室第一研究部編：《共產國際、聯共（布）與中國革命檔案資料叢書》第2卷《共產國際、聯共（布）與中國革命文獻資料選輯運動（1917-1925）》，北京圖書館出版社1997年版，第256-257頁。

57 《關於杭州會議後活動的報告》，中國社會科學院近代史研究所李玉貞主編：《馬林與第一次國共合作》，北京，光明日報出版社1989年版，第84頁。

所建設，他對於社會主義，我確實知道他毫無研究與信仰。我們很希望孫文派之國民黨能覺悟改造，能和我們攜手，但希望也很少。」[58]在放棄陳炯明之後對選擇孫中山仍然顯得勉強和有所保留，則前此對國民黨的態度可想而知。

陳炯明事變前後，俄共對華政策的制定與實行正經歷從混沌到有序的轉變，此前的種種不協調在對待陳炯明事變的態度上充分反映出來，各方面代表對待孫、陳衝突的態度不一。7月18日，遠東局負責人維經斯基在《真理報》發表《中國南方的鬥爭》，依然明顯偏袒陳炯明，稱之為「革命的督軍、本省的愛國者、外國帝國主義的仇敵」，認為孫、陳聯盟的唯一條件是反對帝國主義及其走狗北方軍閥，孫中山與張作霖結盟，便是站到日本帝國主義一方，雙方的同盟自然破裂。[59]而同月11日馬林在給共產國際執委會的報告中，則指出俄國革命本身的發展使陳炯明「漸漸向右轉」，他大權獨攬，「並沒有任何種類的社會主義改革付諸實施。在廣州也沒有任何表明即將採取社會主義政策的措施。」[60]蘇俄外交代表越飛致函孫中山，坦言不清楚其與陳炯明的意見分歧究竟何在，僅僅由北京或廣州統一全國這一點，不足以導致流血戰爭。孫中山答稱作為政治追隨者，基本政策上出現意見分歧可以理解，「但是，當這種分裂採取謀殺領袖的形式時，整個政治生命就徹底葬送了。」越飛故意提出這類問題，別有用

58 1922年6月30日《陳獨秀致吳廷康的信》，中共中央黨史研究室第一研究部編：《共產國際、聯共（布）與中國革命檔案資料叢書》第2卷《共產國際、聯共（布）與中國革命文獻資料選輯運動（1917-1925）》，第303-304頁。

59 《中國現代革命史資料叢刊・維經斯基在中國的有關資料》，北京，中國社會科學出版社1982年版，第8-12頁。

60 《中國現代革命史資料叢刊・馬林在中國的有關資料》，北京，人民出版社1980年版，第19頁。

心，[61]孫中山的答詞對他恐怕很難有說服力，只是從中可以反映，蘇俄對孫、陳取捨，很可能以利益為主，政見還在其次。

這一時期共產國際對中國的影響，正經歷從維經斯基主導轉向馬林主導的過渡，雙方在促使中共與國民革命、群眾運動相結合以及保持中共的獨立性與政治方向等問題上各有所長，具體策略也多有分歧，爭執一直持續到1923年共產國際執委會會議乃至以後。[62]至少到1922年12月，共產國際仍然批評孫中山與張作霖合作，而將孫中山的南方民主政府視為和其它軍閥政權一樣的中國資產階級建立的中心，主張不屈從於這些中心，獨立地開展活動。[63]馬林雖是促使中共與國民黨合作的主要人物，卻又是與中共領導關係最緊張、並對中共力量估計較低的一位。而且即使馬林這時也對年初在廣州與陳炯明的會晤印象不壞，建議在廣州設共產國際的分支機構，將中共中央南遷，因為只有廣州可以進行公開活動。直到8月維經斯基才通知中共，工作中心南移之事應推遲到南方各種力量對比更加明朗之時。[64]可見在共產國際領導層的心目中，雖然孫、陳天平已經傾斜，仍有現實的權衡。而類似於孫、陳二人的政見分歧，即使在共產國際和中共內部也普遍存在，不能構成政治判斷標準。只是由於孫、陳二人你死我活，

---

61 《越飛給孫逸仙的信》、《孫逸仙給越飛的信》、《越飛給加拉罕的電報》，中共中央黨史研究室第一研究部譯：《共產國際、聯共（布）與中國革命檔案資料叢書》第1卷《聯共（布）、共產國際與中國國民革命運動（1920-1925）》，第104、111、112頁。

62 參見段雲章：《共產國際、蘇俄對孫中山陳炯明分裂的觀察和評論》，《中山大學學報論叢・近代中國研究叢刊》2000年第3期。

63 《共產國際第四次代表大會決議・中國共產黨的任務》，中共中央黨史研究室第一研究部譯：《共產國際、聯共（布）與中國革命檔案資料叢書》第1卷《聯共（布）、共產國際與中國國民革命運動（1920-1925）》，第161頁。

64 中共中央黨史研究室第一研究部編：《共產國際、聯共（布）與中國革命檔案資料叢書》第2卷《共產國際、聯共（布）與中國革命文獻資料選輯（1917-1925）》，第117-118頁。

蘇俄與中共不得不權衡取捨。

孫中山以聯俄換容共，對於蘇俄和國民黨可謂雙贏。至於中共方面，如果沒有後來國民黨的改組，得失全然不成比例。中共黨員個人加入國民黨，孫中山早就同意，張國燾等人甚至猜測此議出自孫中山的主動，而曾為中共斷然拒絕。陳炯明事變雖然使孫中山實力銳減，中共仍然顯得過於弱小，不足以對等合作，蘇俄的壓力則主要從自身利益出發，沒有乘機為中共向孫中山討價還價，因此這方面讓步的幅度最小。某種程度上說，中共只不過是這次談判的籌碼而不是一方。中共同意以黨員個人加入國民黨的方式實行黨內合作，實際上是在共產國際的壓力下被迫就範，所以覺得犧牲太大，與其說是與國民黨合作，不如說是被國民黨同化。這種突如其來的大幅度轉變，難免在中共內部造成震動甚至衝突。從「二大」到西湖會議，關於是否加入國民黨實行黨內合作，中共中央乃至全黨分歧極大，反對的聲音仍占上風，主導甚至一致的意見還是黨外合作，只是馬林以共產國際的決議為言，中共中央才表示服從紀律。[65]

被迫放棄陳炯明的中共不得不為前此的平衡甚至偏袒政策付出一定的代價。據張國燾回憶，陳炯明叛變事件發生後，陳獨秀立即向在上海的國民黨要人張繼表示，曾一度與自己合作的陳炯明既已背叛革命，中共即與之斷絕關係並一致聲討，同時致函廣州支部的負責人譚平山等，要求他們立即脫離與陳炯明的一切關係，轉而支持孫中山。

---

65 參見陳獨秀、蔡和森、張國燾等人的回憶，《共產國際、聯共（布）與中國革命檔案資料叢書》第2卷《共產國際、聯共（布）與中國革命文獻資料選輯（1917-1925）》，第340-349頁。中共二大雖然呼籲國民黨結成聯合戰線，卻未決定加入國民黨，而是要在北京建立民權運動大同盟，原因之一是國民黨未改變態度及孫中山態度不定（蔡和森：《吾黨產生的背景及其歷史使命》，中共廣東省委黨史研究委員會辦公室、廣東省檔案館編：《廣東檔案史料叢刊·「一大」前後廣東的黨組織》，第62頁）。

廣州支部未能執行中央指示，繼續發表支持陳炯明的文章。中央為擺脫尷尬局面，進一步向國民黨表示，請孫中山出面召集各派革命勢力的聯席會議，聲明中共將不因其受到暫時挫折而改變與之合作的原有立場，將更積極地反對一切支持陳炯明的反動言論和行動，而且已在設法糾正廣東方面個別共產黨人的錯誤態度。

7月23日中共「二大」閉幕後，中央再次致函廣州支部，嚴厲指責其對陳炯明的態度不當，並嚴重警告陳公博、譚植棠，如不立即改變態度，將被開除；譚平山如仍優容放縱，將受嚴重處分。後來陳獨秀在很不情願的情況下，對廣東支部成員實施處分。[66]對此陳公博的記載不盡相同，他說：由於中共中央對動盪的廣東政局「非常之消沉」，使之無所適從，派譚平山去上海探聽消息，亦無回音。8月西湖會議後，決定與國民黨實行黨內合作，張太雷才代表中央傳達指令，批評廣東支部支持陳炯明。[67]

兩相比較，陳公博的記載更加近真。到6月底，失望於陳炯明的陳獨秀，對孫中山同樣缺乏信心，中共中央對廣東局勢的態度及處理，不可能那麼迅速果斷而明確。1926年，蔡和森撰寫《中國共產黨史的發展（提綱）》時，專門談了廣東黨部的問題。他說：

> 「第一，反對陳炯明——廣東同志很奇怪；第二，認不清對陳的關係，所以有偏袒陳炯明的傾向，一時不容易轉變態度——《群報》。陳公博他不贊成陳炯明，雖然反對陳炯明，但實際上幫助了陳炯明，因此中央去信嚴格責備公博、平山等，這時與陳有關係的等等同志並調回上海，公博反責獨秀，

66 《我的回憶》第1冊（下），第239-240頁。

67 陳公博：《寒風集》，見石源華：《陳公博這個人》，第56-59頁。

> 不久獨秀來俄後，公博等又在廣州辦《珠江評論》，主張聯省自治，胡適之在北京主張作聯省自治，獨秀在上海反對聯省自治，……因此中央看見廣東黨部已變成陳的工具了，所以派人去調查，所得的結果：第一，《珠江評論》是陳炯明出錢辦的；第二，陳炯明辦勞動局要公博當局長；第三，反對中央對陳炯明的政策，並擬離黨而組織廣東共產黨。中國共產黨中央根據這報告即將陳公博、譚植棠開除，馬林亦贊成，並在《嚮導》上公開反對《珠江評論》。但廣東團體仍非常混雜，直到陳炯明失敗，始知道中央意見是對的，其原因是由廣東同志相信公博太深，其次相信陳炯明反對中山是對的，再其次不相信國燾，以為中央此舉為國燾所為。此時廣東情形非常不好，他們以為應開除國燾，後來公博去英國，植棠被開除。……廣東黨部問題，起初他們是不自覺的，後來完全是自覺的作陳炯明的工具。中央解決這問題，廣東黨部同志不明了，因這問題完全是根本政策問題，故寧肯失掉廣東黨部，也必須嚴格向廣東黨部的叛逆行為爭鬥」[68]。

從蔡和森事後的總結和當時的資料看，中共中央對陳炯明事變的態度一開始並不清晰，對廣州支部的處分更在10月以後。6月30日，擔任廣東青年團書記的張太雷致函團中央書記施存統，詢問「對於此次孫陳衝突是否應該有一個宣言，但是此地地方團決不敢有所宣言，須得中央之允准。」[69]7月中下旬，譚平山參加了中共二大，又在《努

68 《吾黨產生的背景及其歷史使命》，中共廣東省黨史研究委員會辦公室、廣東省檔案館編：《廣東檔案史料叢刊．「一大」前後的廣東黨組織》，第69頁。

69 中共廣東省黨史研究委員會辦公室、廣東省檔案館編：《廣東檔案史料叢刊．「一大」前後的廣東黨組織》，第10頁。

力》發表文章評論孫、陳之爭，雖然自稱要站在第三者的地位，將真相儘量寫下，對雙方各有批評，但是對陳炯明的批評主要是說他於中山返粵、加入國民黨和選舉大總統之時未能公開與之決裂，實行聯省自治計劃，事變後又不肯發表主張，對時局負責，致使粵軍搶掠，實際上仍然堅持原來支持陳炯明的立場。[70] 8月底，在共產國際的撮合促進下，國共兩黨結成聯合戰線，中共中央必須對陳炯明事變旗幟鮮明，李大釗給胡適的信，正是要其適時改變態度。

廣州支部與陳炯明接近，本來與陳獨秀關係甚大，由於形勢變化和中央政策驟然改變，廣東支部未能及時調整，不理解中央的精神，依然固執己見，其9月創辦的《珠江評論》繼續發表有利於陳炯明的言論，甚至要與中共中央分裂，成立獨立的廣東共產黨。為此，中央不得不給予處分，以取信於孫中山及國民黨。處分廣東支部發生於《珠江評論》發刊和陳獨秀前往莫斯科之後，兩事分別於1922年9月和10月，則中共中央處分廣東支部當在10月以後。而且處分的矛頭顯然主要針對譚植棠等人的分裂獨立傾向，而不是偏袒陳炯明的錯誤。在《珠江評論》發表言論的楊匏安、羅綺園等人，後來繼續在中共黨內擔任職務。[71]至於中共中央和全黨內部對於和孫中山及國民黨合作的異議，直到1923年1月仍然非常強烈。[72]

70 滌襟：《記孫陳之爭》，《努力》第16期，1922年8月20日。該文末署「1922、8、10日。滌襟寄自滬旅。」胡適日記則記為8月13日與胡談論後，胡請其撰寫。

71 目前所見《珠江評論》最後一期為1922年10月25日出版的第4期，據中共廣東省黨史研究委員會辦公室、廣東省檔案館編《廣東檔案史料叢刊・「一大」前後的廣東黨組織》所錄「致秀松兄函」，當時《珠江評論》已被查禁。是函署期「廿三日」，編者判斷為1922年10月23日。如不誤，則該刊第4期標明的日期較實行發行期晚。

72 中共中央黨史研究室第一研究部譯：《共產國際、聯共（布）與中國革命檔案資料叢書》第1卷《聯共（布）、共產國際與中國國民革命運動（1920-1925）》，第177頁。

四　依然同道

中共中央的政略大轉折，在積極的成果背後，牽涉錯綜複雜的利害關係，因而在不少具體政策上，前後缺乏政見的連貫性。如對吳佩孚的認識，就幾乎來了個乾坤顛倒，事變前夕還反對孫吳聯盟的蔡和森，不得不接受共產國際「政治上孤立的吳佩孚，儘管有獨裁者的本能，但也許會與同樣孤立的孫中山攜起手來，雙雙步入中國革命的先鋒地位」的看法，讚揚孫吳聯合是進步勢力的結合。[73]陳獨秀也將吳佩孚的討伐段祺瑞、張作霖視為「革命的行動」，因為段、張這班賣國的反動派失去政權，「是給資產階級的民主派能夠得著政治上發展的機會」。[74]對陳炯明的態度更是前後迥異。因此這一轉折為廣東支部成員難以理解和接受，也不足為怪。何況在此之前，中共黨員對時局持有不同見解，甚至發表不同的看法，是相當普遍的情況，很少要求組織上的一律。本來認識不同導致政策不一致，也很正常，蔡和森後來總結時給予一定程度的理解。但這次突變所引起的分歧對於中共的生存發展造成極大威脅，由於對中央的方針政策轉變不理解，多數黨員對黨採取消極態度，使中共中央必須加強紀律和集中制，否則無法貫徹既定路線。結果中共在經歷政治策略轉折的同時，必須進行組織建設的調整。[75]

中共黨內可以通過紀律和集中制達到對於政策轉變的強制性認識統一，對黨外則不能強求，也不必強求。李大釗、陳獨秀等人沒有因

73 詳參李玉貞：《斯內夫利特小傳》，李玉貞主編：《馬林與第一次國共合作》，北京，光明日報出版社1989年版，第427-429、442-445頁。

74 《革命與反革命》，任建樹、張統模、吳信忠編：《陳獨秀著作選》第2卷，第404頁。

75 《吾黨產生的背景及其歷史使命》，中共廣東省黨史研究委員會辦公室、廣東省檔案館編：《廣東檔案史料叢刊·「一大」前後的廣東黨組織》，第70頁。

為胡適一度偏袒陳炯明而與之關係惡化。這一時期胡適與蘇俄駐華代表越飛以及伊鳳閣等人關係不錯，又與原海參崴報紙《遙遠的邊疆》編輯、遠東電訊社駐滬記者、「俄國鼓吹機關代表」霍都洛夫久談中國政局，認為後者的觀察「頗不壞」。[76]霍氏是老社會民主黨人，也是很早為俄共在華進行工作的僑民之一，[77] 1920年7月，曾向孫中山介紹過遠東共和國的情況，[78]以至越飛稱胡適是「我們的朋友」。[79]

中共的主要領導陳獨秀，儘管在聯省自治問題上與胡適完全對立，直到1923年7月，仍然認為只有胡適是真正瞭解近代資產階級思想文化的人，「在掃蕩封建宗法思想的革命戰線上，實有聯合之必要。」[80]在此期間，他常常與胡適交換意見，1922年12月11日，陳獨秀還函告胡適和蔣夢麟：「中山近日頗有覺悟，已切言專力軍事之錯誤，方努力謀黨之改造，此事亦請二公注意。」[81]則在與國民黨的關係上，中共繼續視胡適為同路人。「二大」後中共著手在北京組織民主主義大同盟，有教職員參加，胡適很可能是爭取的對象之一。

收到李大釗來函的當天，代表陳炯明的陳達材和中共黨員譚鳴謙再度來訪，似乎都在爭取胡適。胡適如何看待李大釗的意見，日記和

---

76 中國社會科學院近代史研究所中華民國史研究室編：《胡適的日記》，第425頁。

77 《關於俄共（布）中央西伯利亞局東方民族處的機構和工作問題給共產國際執委會的報告》，中共中央黨史研究室第一研究部譯：《共產國際、聯共（布）與中國革命檔案資料叢書》第1卷《聯共（布）、共產國際與中國國民革命運動（1920-1925）》，第50頁。

78 王功安、毛磊主編：《國共兩黨關係通史》，武昌，武漢大學出版社1991年版，第20頁。

79 1922年11月17日《越飛致馬林的信》，李玉貞主編：《馬林與第一次國共合作》，第102頁。

80 《思想革命上的聯合戰線》，任建樹、張統模、吳信忠編：《陳獨秀著作選》第2卷，第517-518頁。

81 《胡適來往書信選》上冊，第176頁。

其它資料中沒有直接的說明。他繼續堅持主張聯省自治，反對武力統一，與陳獨秀有所辯論，但公開指責孫中山、袒護陳炯明的言論逐漸減少。8月31日，胡適為《努力》撰寫《這一周》的短評，依據東方通信社的消息，評論孫中山最近的政見及其與北方武人接近的行動，除了反對省自治一條外，基本同意孫的主張，又稱孫中山和吳佩孚「都還是為主義而不為私利私圖的人」，這與中共剛剛轉變的政見有同步之勢。只是最後又忠告孫中山不要對陳炯明復仇，不應該為了舊怨而再圖廣東的糜爛，「只應該以在野的地位督促廣東的善後，監督陳炯明的設施」。但這與馬林等人反對用軍事行動方式收復廣州的意見亦無二致。9月4日，陳達材代表陳炯明邀胡適去廣東辦大學，胡適雖然赴宴，卻明確表示：「我不能去，大學中也無人肯去。」還勸陳達材轉告陳炯明：「此時先努力把廣東的治安辦好，不妨做一個閻錫山，但卻不可做楊森。借文化事業來做招牌，是靠不住的。」

9月18日，胡適與北歸的李大釗談話後作長函給陳獨秀，除繼續爭論統一與聯治外，還聲稱《民國日報》不值一駁，指責該報增改別人的文章，厭惡於「政黨的罪惡」。到了11月中旬，胡適雖仍然堅持自己對廣東孫、陳之爭講的是「幾句公道話」，所宣洩的實際上是被《民國日報》罵了幾個月的不平之氣，因為「許多人說胡適之被《民國》罵倒了。《努力》銷路也因此稍減（在南方尤其是上海），你不睬他，他卻要睬你。」[82]是月上海《密勒氏評論報》（The Week by Review）兩次公佈徵求讀者選舉「中國今日的十二個大人物」的投票結果，陳炯明均榜上有名。胡適認為根本不能反映中國的情形，另外擬了一份名單，多選思想學術文化界人士，政治人物僅孫中山、段祺

82 中國社會科學院近代史研究所中華民國史研究室編：《胡適的日記》，第449頁、462、469頁。

瑞、吳佩孚三人，而排除陳炯明，求公允之外，亦可視為一種姿態。

另一方面，胡適對李大釗來函所說的具體辦法似不以為然。9月李大釗到洛陽與白堅武「談中江寓公近情（指孫中山）」及「南北政情」，10月又與孫中山的代表張溥泉等再赴洛陽與吳佩孚會談。這段時間胡適與李大釗來往不密，但李自上海來函稱「余容面談」，則胡適應當知道內幕。撮合孫吳聯盟，蘇俄的本意是反對張作霖以保障其在中東路的利益。[83]胡適雖然未必深悉這一背景，而且不反對合作，希望和平解決統一與分治問題，對有關交易仍然大為不滿。10月1日、11月12日、12月31日，他在《努力》第22期、28期、35期上一再鄭重地公開宣言：「私人的接洽，代表的往來，信使的疏通，都是不負責任的，都是鬼鬼祟祟的行為，道理上這種辦法是不正當的，事實上這種辦法是很困難的。分贓可用此法，賣國可用此法，謀統一不可用此法。」[84]所指即使不是專門針對上述情況，至少包括在其中。

1923年10月，胡適寫了《一年半的回顧》，刊登在《努力》最後一期即75期上，既是對《努力》的總結，也是對這一時期時局的概括。談到孫中山、吳佩孚、陳炯明之間的聯繫與衝突時，有如下的論述：

> 「去年五六兩個月真是政局的一大關鍵。吳佩孚召集舊國會，本是想取消南方『護法』的旗幟。5月裡孫文發表宣言，對北方將領要求裁軍隊為工兵；他的態度已很明顯，很有和平解決的表示了。不幸6月中廣州發生孫、陳之爭，陳炯明推翻了孫文的勢力，孫氏倉皇出走。這件事在當日確然是孫、陳兩人主

83 詳參李玉貞：《斯內夫利特小傳》，李玉貞主編：《馬林與第一次國共合作》，第444頁。據說孫中山還授權王寵惠與吳佩孚談判（1922年11月7日《越飛致馬林的信》，《馬林與第一次國共合作》，第88頁）。

84 參見《努力》各期《這一周》、《我們還主張召集各省會議》、《新年的舊話》。

> 張不同性情不同久不相能的結果。當日大家的評論雖不一致，然而在當時就是最恨陳炯明的人也不信陳氏的行為是服從北方的指使。但事後看來，當日孫、陳的決裂確是一大不幸的事。一來因為孫文失去勢力，更引起北方武人的武力統一的野心。二來因為孫、陳兩人決裂後，陳氏怕孫派的報復，竟公然與直系軍人聯絡。三來因為孫氏要報仇，竟至糜爛了廣東，至於今日。」

雖然沒有根本改變立場，仍然堅持一些基本的觀點，或者說不願示弱，但是對陳炯明事變的全面衡量與評估，已經隨著時勢而大幅度調整了。

治史的大忌之一，是用今日的眼光看待前人前事，認識歷史，還應循著歷史發展的本來順序，以免苛責之弊。陳炯明事變前後胡適對待孫中山和陳炯明的態度，非但不表明他的反動，恰恰是那一時期胡適「左傾」的一個例證，顯示其在傾向社會主義和國民革命的過程中，一度和蘇俄及中共走得相當近。而要認清此事的原委真相，不能僅就孫、陳的是非立論。梳理前後左右相關各方的表面和背面關係，方可坐實而近真。

下編

孫中山革命程序論的演變

孫中山關於革命建國要經歷「軍政」、「訓政」、「憲政」三個時期的革命程序論，是其民權主義思想的重要組成部分。過去史家對此貶抑甚多，而對其發生、發展、變化以及與三民主義其它部分，特別是共和思想的關係則缺乏仔細梳理。因此，在表述其內容和評價其歷史作用時，不能回到當時歷史進程的客觀環境中去，多用事後人為設定的外在標準檢查衡量，往往不免苛求前人。茲就革命程序論的演進過程做一仔細描述，首先瞭解孫中山設置和堅持革命程序論的願望、目的，以及各階段變化調整的社會歷史原因，在此基礎上，進而檢討利弊得失，或能同情本心，不作空論。

一　縮以約法

孫中山的革命程序論究竟形成於何時？以往並無明確答案。1904年刊行的《大陸報》第2卷第9號「譚叢欄」載有「孫文之言」一則，為判斷時間、內容等有關問題提供了重要線索。全文如下：

> 「今青年之士，自承為革命黨者雖多，實則皆隨風潮轉移，不過欲得革命名稱以為誇耀儕輩，未必真有革命思想。其真有革命思想而又實行革命之規畫者，舍孫文以外，殆不多見也。吾嘗聞彼黨人述孫氏之言曰：□□（按當為「滿洲」）之政府易

覆，外人之干涉不懼，所可慮者，吾中國人具帝王之資格，即人懷帝王之思想，同黨操戈，外族窺釁，亡吾祖國之先兆也。吾細思數年，厥有一法。夫拿破崙非不欲為民主也，其勢不能不為皇帝，使華盛頓處之亦皇帝矣。華盛頓非必欲為民主也，其勢不能不為民主，使拿破崙當之亦民主矣。中國數十行省之大，欲囊括而恢復之，必有數統帥，各將大軍數十百萬，各據戰地，嗚叱往來，即使諸統帥慕共和之治，讓權於民，為其舊部者，人人推戴新皇，各建偉業，咸有大者王小者侯之思，陳橋之變所由來也。欲救其弊，莫若於軍法、地方自治法間，綰以約法。軍法者，軍政府之法也。軍事初起，所過境界，人民必以軍法部署，積弱易振也。地方既下，且遠戰地，則以軍政府約地方自治。地方有人任之，則受軍政府節制，無則由軍政府簡人任之，約以五年，還地方完全自治，廢軍政府干涉。所約如地方應設學校、警察、道路諸政如何，每縣出兵前敵若干，餉項若干。五年程度不及者，軍政府再干涉之；如約則解。此軍政府約地方自治者也。地方出兵若干，餉若干，每縣連環會議，約於軍政府，有戰事則各出兵餉赴前敵；戰畢除留屯外，退兵各地方。軍帥有異志，則撤其兵餉。地方有不出兵餉者，軍政府可會和各地方以懲之。此地方自治約軍政府者也。軍政府所過，地方自治即成，而以約法為過渡綰合之用，雖抱帝王政策者，諒亦無所施其計矣。」

此則史料對於研究孫中山早期思想，特別是革命程序論的形成有重要的價值，有必要詳加考察。

《大陸報》由原主辦《國民報》的留日學生戢元丞、秦力山、楊廷棟等人，於《國民報》停刊後，回到上海所創辦，1902年12月正式發行。幾位編輯人中，戢元丞和秦力山原與興中會關係較密切。秦力山於1902年冬離日到滬，[1]幫助戢元丞辦報，但不是《大陸報》的負責人，同時他還創辦《少年中國報》。因資本短缺停辦後，往來長江兩年，似未再到日本。[2]「孫文之言」發表時，秦力山已經離滬南下。[3]從時間上看，此文有可能出自秦力山之手，但秦與孫中山關係密切，章太炎說他是「孫黨」，[4]在日本期間，秦力山較早與孫中山交往，開始對孫還懷有戒心，1902年以後，他打消了對孫中山從事革命活動之動機的懷疑，介紹章太炎等人與孫結識，[5]多次與孫中山一起討論改革土地、賦稅制度及建都等理論和實踐問題，並記錄了討論筆記，[6]似無必要聽人轉述孫中山的政見，行文也不應稱「彼黨人」。

戢元丞是《大陸報》的主要編輯，「譚叢」欄的文字多出自他的手筆。留日期間，「戢元丞志在革命，與力山最合，與任公為冰炭，與中山亦不協」[7]。《大陸報》排斥保皇派而又不支持孫中山為首的革命黨，令人懷疑其政治態度模糊，原因之一即在於此。[8]他與孫中山的關係不如秦力山、沈翔雲等人融洽，直接聆聽孫中山言談的機會不

1 鞏黃：《說革命》，彭國興、劉晴波編：《秦力山集》，第159頁。

2 《致陳楚楠函》（1905年7月23日），彭國興、劉晴波編：《秦力山集》，第181頁。

3 1904年11月19日《警鐘日報》刊登陳去病《喜得力山、樸庵、魯林、天梅、微伯海外書》，詩云：「故人別我已盈月，……圖南遙視大鵬程。」可知秦力山等人已赴南洋。章士釗《疏黃帝魂》（中國人民政治協商會議全國委員會文史資料研究委員會編：《辛亥革命回憶錄》第1集，第270頁）稱萬福華事件後在滬見過秦力山，疑誤。

4 《致吳君遂書》（1902年3月18日），湯志鈞編：《章太炎政論選集》上卷，第163頁。

5 有關秦力山政治立場的轉變，參見彭國興：《論秦力山》，中南地區辛亥革命史研究會、湖南省歷史學會編：《紀念辛亥革命七十週年青年學術討論會論文選》上冊，北京，中華書局1983年版，第225-248頁。

6 參見陳錫祺主編：《孫中山年譜長編》上冊，第276-278頁。

7 《致吳君遂書》（1902年3月18日），湯志鈞編：《章太炎政論選集》上卷，第163頁。

8 參見黃沫所寫《大陸》報評介，丁守和主編：《辛亥革命時期期刊介紹》第2集，北京，人民出版社1982年版，第115-144頁。

多，但與孫黨的一些人關係密切，可以間接瞭解孫中山的言行主張。所以，此文作者以戢元丞的可能性較大。

這一短文雖然見報於1904年10月，但作者稱其「嘗聞彼黨人述孫氏之言」，則所聞時間還須提前。戢元丞大約於1902年春夏間離開日本到上海，[9]此後幾年間沒有再度去日。居滬期間，戢元丞較少有機會見到興中會成員。1903年底香港《中國報》社社長陳少白因《國民日日報》內部衝突事，趕至上海進行調解，曾「設宴邀集滬上諸同志聯絡感情」。[10]《大陸報》的對外交際多由戢元丞出面，而且他本人也捲入《國民日日報》的衝突之中，[11]可能出席宴會。不過，陳少白為調和一事而來，事情解決的並不順利，而且是公開活動，即使見面，也不會為戢元丞詳述孫中山的思想。因此，戢元丞得知這一信息的時間，估計在留學日本之時，或是秦力山在滬協助辦報之際。

1902年以前，孫中山的三民主義思想體系已經相當具體化和系統化。宋教仁在《程家檉革命大事略》中說：1902年「孫文為君（按指程家檉）言民族、民權、民生三主義，及五權分立，暨以鐵路建國之說」[12]。上述內容，包括了孫中山的基本思想，但未言及革命三時期說。「孫文之言」則載明孫中山當時已經提出軍政府和軍法、約法、地方自治法（即後來的憲法）的概念，並規定了它們的先後次序和相互關係。也許由於轉述的遺漏等原因，關於各時期主要任務的規定尚不夠詳盡，不過還是可以視為孫中山革命程序論基本形成的標誌，從一個側面映證孫中山三民主義思想較早完整和系統的事實。

---

9 參見《致吳君遂書》（1902年3月18日），湯志鈞編：《章太炎政論選集》上卷，第163頁；蔣維喬：《中國教育會之回憶》，《中國近代史資料從刊・辛亥革命》第1冊，第486頁；《記協助東亞遊學會》，《選報》第27期，1902年9月2日。

10 馮自由：《革命逸史》初集，第196頁。

11 《湖北在滬學生代王劉二君公告》，《大陸報》第12號，1903年10月28日。

12 《國史館館刊》第1卷第3期，1948年8月，第70頁。

孫中山提出革命程序論的動機，在於反對專制帝制，促成民主共和。如果說三民主義的核心是民權主義，那麼共和思想則是民權主義的中心。在中國這樣一個實行帝制統治長達二千年的國度裡，要摧毀帝制建立共和，實在是石破天驚的大事。如何才能在舊的統治秩序的廢墟上建立和鞏固共和制度，是任何一位有志於開闢共和制的先行者不能不優先考慮的頭等大事。孫中山自稱「細思數年」，才提出解決相關問題的基本思路，證諸史實，確實如此。

1897年孫中山在與宮崎寅藏的談話中已涉及這一問題，他認為「共和政治不僅為政體之極則，而適合於支那國民之故，而又有革命上之便利者也。」所謂「革命上之便利」，就是以共和抑制往往伴隨改朝換代而來「綿延數紀」的「野蠻割據之紛擾」。「觀支那古來之歷史，凡國經一次之擾亂，地方豪傑互爭雄長，亙數十年不能統一，無辜之民為之受禍者不知幾許。其所以然者，皆由於舉事者無共和之思想，而為之盟主者亦絕無共和憲法之發佈也。故各窮逞一己之兵力，非至併吞獨一之勢不止。因有此傾向，即盜賊胡虜，極其兵力之所至，居然可以為全國之共主。」要避免這樣的歷史悲劇重演，必須實行迅雷不及掩耳之革命，「而與革命同行者，又必在使英雄各充其野心。充其野心之方法，唯作聯邦共和之名之下，其夙著聲望者使為一部之長，以盡其材，然後建中央政府以賀〔駕〕馭之，而作聯邦之樞紐。」[13]這種在聯邦共和的形式下，以中央政府駕馭部勒各路英雄的設想，與後來革命程序論以地方自治約束制約諸統帥的思路還有明顯的差別。

1900年，孫中山計劃給廣西起義的會黨輸送武器彈藥，建立一個革命政府，並在他的領導下向廣州推進，使湖南、福建等省的督撫參

13 《與宮崎寅藏平山周的談話》，《孫中山全集》第1卷，第173頁。

加或承認這個新的「南中國聯邦共和國」。[14]這可以看作是他實現先前設想的一次嘗試。他試圖爭取李鴻章實行兩廣獨立，在《平治章程》中設置高度自治的各省政府，甚至擬讓李鴻章、劉學詢等出任新的暫時政府的主政，名號「或稱總統，或稱帝王」，還可以由劉學詢等自定，[15]都旨在讓那些有帝王之志的實力派「各充其野心」，以達到革命的直接目的。

此後，至少從現有資料看，孫中山的思想發生了重大變化。他總結中外歷史經驗，看到實行共和抑或帝制，不在於個人的好惡，而在於天下的大勢。拿破崙恢復帝制與華盛頓實行共和，並非由於其人的強弱優劣，而是形勢使然。二人易位，則拿破崙必為民主，而華盛頓必為皇帝。他認識到「中國人具帝王之資格，即人懷帝王之思想，同黨操戈，外族窺釁，亡吾祖國之先兆也」，因此重要的是必須造成一種非共和制莫屬的客觀形勢。如此說來，孫中山實際上放棄了原來以滿足各路諸侯的野心為誘餌和代價，換取他們對共和制的承認，再以中央政府控制約束的辦法，把防止專制，奠定共和基礎的目光轉向民眾和地方自治，以免「英雄」的野心過度膨脹。

在軍法、地方自治法之間綰以約法，其目的在於防止野心家擁兵自重，或是其部將中有人懷「大者王小者侯之思」，演出宋太祖陳橋兵變，黃袍加身的鬧劇。孫中山預見到：「中國數十行省之大，欲囊括而恢復之，必有數統帥，各將大軍數十百萬，各據戰地」，因此，在戰爭期間以及戰後的一段時期內實行「軍法」乃是勢所必然。這樣一來，很容易給謀帝制者造成可乘之機。「欲救其弊，莫若於軍法地方自治法間，綰以約法」。所謂約法，是以地方自治與軍帥互相牽

---

14 Jeffrey G.Barlow: Sun yat-sen and the French, 1900-1908，《中國研究專刊》第14期，伯克利加州大學1979版，P14。

15 《致劉學詢函》，《孫中山全集》第1卷，第202-203頁。

制，其側重點在於分軍隊之權，防止「軍帥有異志」。在地方自治的制約下，「雖有抱帝王之策者，諒亦無所施其計矣」。通過「約法」的形式，使「軍法」與「地方自治」相銜接，而不至於走向帝制的歧途。

可見，孫中山提出革命程序論，特別是「約法」，本旨不在剝奪本來屬於人民的權利，而是在人民尚未享有民權的情況下，為避免重兵在握的「軍帥」割據稱雄，將國家民族引向危難，欲通過「約法」實現民權，這與康有為等人否認中國民眾具有民主共和之資格的議論截然不同，構成孫中山共和思想的有機組成部分。

革命程序論的提出，在當時的歷史條件下，意義重大。保皇黨人反對革命，反對共和，原因之一，便是認為革命必生內亂，人民不具備民主共和的資格。只有切實具體地解決革命後政治制度的建設問題，才能在政治宣傳方面戰勝保皇黨人。同盟會成立前，這一至關重要的問題已經引起許多有志於反清革命者的重視與深思，如1904年胡漢民到日本時，以在留日學界中頗有影響的章太炎、鄒容等人的著作，「只言破壞，不言建設，只為單純的排滿主張，而政治思想殊形薄弱，猶未能征服留學界『半知識階級』之思想也」，因而與朱執信等人極力探求，「猶未得革命實行之要領」。[16]孫中山的革命程序論既包括對舊制度的破壞，更注重革命後的建設，對於批判保皇黨人，爭取留日學生起到積極作用。戢元丞等人正是因為知道這一思想，才認為「今青年之士，自承為革命黨者雖多，……其真有革命思想而又實行革命之規畫者，舍孫文之外，殆不多見也。」這也就是秦力山在章士釗譯《孫逸仙》出版時所寫序言批評一般熱心家出門任事，往往朝秦暮楚，徜徉反覆，而「孫君之所以異乎尋常之志士，讀者之所當注意，吾輩之極宜自勵者」[17]。

---

16 《胡漢民自傳》，《近代史資料》1981年第2期，第12頁。

17 秦力山：《孫逸仙・序》一，彭國興、劉晴波編：《秦力山集》，第91頁。

二　共和與專制

同盟會成立之際，孫中山進一步豐富和發展了革命程序論的內容，並以此對參加同盟會的留日學生進行宣傳。據宋教仁日記，同盟會成立前，孫中山對湖南同志「縱談現今大勢及革命方法，大概不外聯絡人才一義。言中國現在不必憂各國之瓜分，但憂自己之內訌。此一省欲起事，彼一省亦欲起事，不相聯絡，各自號召，終必成秦末二十餘國之爭，元末朱、陳、張、明之亂，此時各國乘而干涉之，則中國必亡無疑矣。故現今之主義，總以互相聯絡為要。」又關注兩粵間民氣強悍，會黨充斥，對清政府的破壞能力有餘，「若現在有數十百人者出而聯絡之，主張之，一切破壞之前之建設，破壞之後之建設，種種方面，件件事情，皆有人以任之，一旦發難，立文明之政府，天下事從此定矣。」[18]宋教仁所記雖然簡略，由內容判斷，應當也涉及革命程序論。

革命大團體組成後，實行革命的問題自然提上日程，而重要的前提條件是為革命製造輿論，以掃除思想障礙。針對一些人擔心革命的結果事與願違，「求共和而復歸專制」，《民報》第1、2號連載署名「精衛」的文章《民族的國民》，轉述孫中山關於革命程序論的主張，聲稱「足以破此疑問」。孫中山說：

> 「革命以民權為目的，而其結果，不逮所蘄者非必本願，勢使然也。革命之志，在獲民權，而革命之際，必重兵權，二者常相牴觸者也。使其抑兵權歟，則脆弱而不足以集事；使其抑民權歟，則正軍政府所憂為者，宰制一切，無所掣肘，於軍事甚

---

18 湖南省哲學社會科學研究所古代近代史研究室校注：《宋教仁日記》，第90-91頁。

便，而民權為所掩抑，不可復伸，天下大定，欲軍政府解兵權以讓民權，不可能之事也。是故華盛頓與拿破崙，易地則皆然。……君權政權之消長，非一朝一夕之故，亦非一二人所能為也。中國革命成功之英雄，若漢高祖、唐太宗、宋太祖、明太祖之流，一丘之貉，不尋其所以致此之由，而徒斥一二人之專制。後之革命者，雖有高尚之目的，而其結果將不免仍蹈前轍，此宜早為計者也。」

為此，孫中山提出：

「察君權民權之轉捩，其樞機所在，為革命之際，先定兵權與民權之關係。蓋其時用兵貴有專權，而民權諸事草創，資格未粹，使不相侵，而務相維，兵權漲一度，則民權亦漲一度。逮乎事定，解兵權以授民權，天下晏如矣。定此關係厥為約法。革命之始，必立軍政府，此軍政府既有兵事專權，復秉政權。譬如既定一縣，則軍政府與人民相約，凡軍政府對於人民之權利義務，人民對於軍政府之權利義務，其犖犖大者悉規定之。軍政府發命令組織地方行政官廳，遣吏治之，而人民組織地方議會，其議會非遽若今共和國之議會也，第監視軍政府之果循約法與否，是其重職。他日既定乙縣，則甲縣與之相聯，而共守約法；復定丙縣，則甲乙縣又與丙縣相聯，而共守約法。推之各省各府亦如是。使國民而背約法，則軍政府可以強制，使軍政府而背約法，則所得之地咸相聯合，不負當履行之義務，而不認軍政府所有之權利。如是則革命之始，根本未定，寇氛至強，雖至愚者不內自戕也。洎乎功成，則十八省之議會，盾乎其後，軍政府即欲專擅，其道無繇。而發難以來，國民瘁力於地方自治，其繕性操心之日已久，有以陶冶其成共和國民之資格，一旦根本約法，以為憲法，民權立憲政體，有磐石之安，無飄搖之慮矣。」

從孫中山思想的發展變化看，有幾點值得注意，其一，孫中山已將第三期的名稱由「地方自治法」改為「憲法」，而以地方自治作為「約法」時期的重要內容。其二，孫中山提出革命程序論的著眼點，在於如何由兵權向民權過渡。革命之際，為了掃除舊勢力，不能不重兵權，建立軍政府，這是勢所必然，而革命的目的在於通過代議制實現民權，為此，必須使兵權逐漸為民權所取代。否則，「後之革命者，雖有高尚之目的，其結果將不免仍蹈前轍」。其三，約法時期的任務有兩面，一是陶冶國民，使之具備「共和國民之資格」，更重要的則是防止軍政府專擅，而以地方自治的形式限制不能立即解除的軍政府的權力，明確規定由人民組成的地方議會，「非遽若今共和國之議會也，第監視軍政府之果循約法與否，是其重職」。可見其重心是避免歷來改朝換代的循環，促使中國的政治由君主制走向共和憲政。所以作者宣稱：「自今以往，無其〔真〕正之革命軍則已，苟其有之，其必由斯道，以達國民主義之目的。」

《民族的國民》是為駁斥保皇派所謂革命「求共和而復歸專制」的論調而發，因而引起保皇黨人的反駁，《新民叢報》第75期刊載梁啟超的《開明專制論》，認為革命的首難、佐命者、革命軍人及其所遣之吏不可能人人具有如此「優美高尚之人格」，不會自覺實行和維護約法；而「國民義務觀念素未發達」，又缺乏足以制約軍政府的條件，無力實行約法。一旦革命黨人道德破裂，約法就難以維繫。所以，中國只能夠實行君主立憲，甚至開明專制，而不能實行共和革命。

革命黨就此與保皇派展開論戰，針對梁啟超的論點，指出：「國民思想，民族思想，則我民族之所固有者，道在發揚光大之而已」。只要掃除了阻礙國民、民族思想發達的君主專制政體，國民的心理就可以從其壓抑下解放出來。因此，「革命者，應於國民心理之必要者也。則約法者，革命之際應於國民心理之必要而發生者也」。保皇派以東京留學生罷學和上海市民罷市事件證明中國國民無國家觀念，革命黨針鋒相對，認為東京罷學「要其揭示之主義，則曰有辱國體也，此足以證明國民之有國家觀念也」；而上海市民罷市，目的是爭取國際權利，亦「本於國家觀念」，於是「敢信我國民終有民權立憲之能力也」[19]。

中國民眾是否具備實行共和革命的資格，是革命、保皇兩派激烈論戰的重點之一。保皇派否認人民具有此項資格，若以革命的方式追求共和，結果反而得到專制，所以極力反對通過革命推翻專制，不僅根本否認種族革命，政治革命也只能以要求政府為唯一正當的手段。革命黨則相反，早在1903年，孫中山就批判過康、梁等人所謂「中國人無自由民權之性質」的論調，以鄉族自治力證「中國人稟有民權之性質」。就其本意而言，他感到對民權威脅最大的是掌握兵權者趁亂割據稱雄，導致政局動盪和帝制復辟，革命程序論的制定，正是為了解決這一難題。誠然，孫中山仍須正視人民程度不足的現實問題，他部分同意保皇派的說法，認為中國人具有的是「野蠻之自由」，必須進化為「文明之自由」，[20]但這並非他設置「約法」一期的主旨所在。革命程序論主要針對的是擁兵自重的諸侯，同時也有由革命的軍政府引導民眾完善其國民資格的意向。將革命程序論與民權主義的核心即共和方案相聯繫，才能把握其歷史意義。

---

19 精衛：《駁〈新民叢報〉最近之非革命論》，《民報》第4號，1906年5月1日。

20 《駁保皇報書》，《孫中山全集》第1卷，第236頁。

不過，論戰涉及的政治革命與社會革命並舉的問題，其實與約法能否有效實行關係甚大，革命黨人對此雖然多有論述，似乎並未觸及關鍵。對於保皇派指人民程度不足，革命黨人主要是從社會心理的角度立論，而多少迴避了能否成功地以社會革命來造成現實的社會基礎這一根本問題。倒是梁啟超敏銳地看到孫中山的民生主義及其將政治革命與社會革命畢其功於一役的思想，與約法的成敗息息相關。他說：

> 「吾不知其將來之軍政府與其將來之領土內人民所約法者如何，度此主義亦其一也。而土地國有之單獨稅，即軍政府莫大之財源，而恃以給軍實與民治者也。」

除了從理論上否定實行土地國有的現實可能性外，梁啟超還曲解並譴責孫中山提出社會革命與政治革命同時並行的動機。他聲稱曾經扣問孫中山：

> 「『何以以社會革命同時並行？』彼曰：『緩則無及也。大革命後，四萬萬人必殘其半，少亦殘其三之一，積屍滿地，榛莽成林，十餘年後，大難削平，田土之無主者十而七八，夫是以能一舉而收之。余所以必主張大流血者，誠以非此不足以達此目的也。』吾當時聞其言，惡其不仁，且憫其不智，而彼今猶揭櫫此義以號召天下，明目張膽以欺學識幼稚之人。即論者當亦親炙之而與聞其政策之所存矣。而獨怪其昔之所以語我者曰，四萬萬人死亡過半後，此主義最利於實行；今之所以語論者曰，軍政府徇得一縣即立一縣之地方議會。其已變前說耶，即所謂民生主義，所謂社會革命者，固大張於其機關報中。其未

變前說耶，吾不識此兩現象何以能相容也！嗚呼，豈憔悴之未極，寧滅亡之不亟，其忍更以此至劇烈至危險之藥以毒之而速其死也！故吾於他端可以讓步焉，若此一端則寸毫不能讓也。非吾之不讓，而論者斷無從自完其說也。」[21]

關於梁啟超的說法，知道內情的朱執信的答覆是：

「然先生（按指孫中山）當時語彼實只雲政治革命之際，人多去鄉里，薄於所有觀念，故易行。佐證具在，何嘗如彼所云乎？妄誕不已，繼以虛誣，吾不知其所謂信良知者果如何也。」[22]

戊戌以後，梁啟超和孫中山在日本有過多次深談，議及社會革命主張當不止一次，而參與者前後有別。此事的真偽曲直，難以遽斷。作為政治活動家，雙方對自己的言行均有所掩飾或誇張，相比之下，梁啟超故意的可能性較大。孫中山1897年與宮崎寅藏會談時，就表明其擔心革命帶來長期戰亂，為了防患避禍，主張實行迅雷不及掩耳的革命，而提出革命程序論的動機，更有防止過渡期延長導致社會動盪加劇的深意。「方今公理大明，吾既實行此主義，必不至如前此野蠻割據之紛擾，綿延數紀，而梟雄有非分之希望，以乘機竊發，殃及無辜。」[23]

---

21 飲冰：《開明專制論》，《新民叢報》第77號，1906年3月25日。

22 縣解：《論社會革命當與政治革命並行》，《民報》第5號，1906年6月26。

23 《與宮崎寅藏平山周的談話》，《孫中山全集》第1卷，第173頁。誠然，孫中山主張武力革命，曾謂「不瓜分不足以恢復」，這一「浴血之意」，被章太炎許為「卓識」（上海圖書館編：《汪康年師友書劄》二，第1956頁）。

另據曾與孫中山討論過土地公有制的秦力山記載：

「西儒社會學家論公地者甚眾，惜東洋無譯本。□□□（按應為孫逸仙）君通西文，嘗言之，然尚無成算。鄙人於庚子過金陵時，見城北一帶，頹垣破瓦，鞠為茂草，聞其地主，則不公之私，成為一種無用之地。及查其何以至此，則洪楊破金陵，其地主已或逃或死，至大定後，遂任其荒落，洎今不知其主之為誰何。鄙意以為吾國他日若有動機，則舉全國之地皆可以江南城北觀，以今日不耕而食之佃主，化為烏有。不問男女，年過有公民權以上者，皆可得一有限制之地以為耕牧或營製造業。國家雖取十之三四，不為過多，農民即得十之六七，亦可加富。此外可開之墾，可伐之森林以及其它種種可開之利源，尚不知幾何。今日歲入八千萬，他日則雖無量恒河沙數之八千萬，尚不知幾何。苟辨乎此，則智與貧富二者，何愁而不平等。蓋東西各國之資本家，其所以保護其財產之法，今日已達極點，無術可以破壞之，獨吾國為能耳。」[24]

則梁啟超所說孫中山的主張，其實可能是從保皇會陣營中殺出，而政治態度較為激進的秦力山的意思。孫中山的主張是定地價，所以他批評梁啟超的指責「未知其中道理，隨口說去」[25]，並且反駁道：「革命之目的，以保國而存種，至仁之事，何嗜於殺！彼書生之見，以為革命必以屠人民為第一要著，故以其所夢想者而相誣。」照孫中山看來，中國民族主義日益深入人心，化敵為友之事日多，革命軍興

24 《上海之黑暗社會自序》，《國民日日報》1903年8月19日。

25 民意：《紀十二月二日本報紀元節慶祝大會事及演說辭》，《民報》第10號，1906年12月20日。

之際必無極強抵抗。「吾所主張終始一貫，惟以梁氏反覆無恒，故不告以約法若民生主義。梁氏至今夢如數年前，更難語以實行之方法，彼乃向壁虛造，烏足誣我？」[26]

在與梁啟超等人的論戰中，革命黨人對於社會革命以及約法的民意基礎和實力等問題，回答的不夠理直氣壯。尤其是在回應梁啟超對於革命可以召瓜分，可以生內亂的指責方面，如何在擴大革命的社會基礎的同時提高人民的程度，以免革命演變成動亂，引起革命黨人的更多關注，對於革命程序論的思考有意無意間受到梁啟超批評的影響，從而使約法的天平開始從制約「英雄」的野心向著約束引導民眾的自發傾向一面傾斜。

三　革命方略

1906年秋冬編制的《革命方略》，把革命程序論用同盟會正式的組織檔的形式固定下來。《革命方略》的制定不僅在整個辛亥革命史上具有重要意義，也標誌著革命程序論發展完善的一個重要階段。孫中山後來往往把「革命方略」作為革命程序論的代名詞，可見其重要性。

《革命方略》明確地把三個時期定名為「軍法之治」、「約法之治」、「憲法之治」，規定各時期的主要任務為「軍政府督率國民掃除舊污」，「軍政府授地方自治權於人民而自總攬國事」，「軍政府解除權柄，憲法上國家機關分掌國事」，[27]並且規劃了實現各時期具體任務的步驟。此外，還確定軍法以三年為限，約法以六年為限。

---

26 辨奸：《斥〈新民叢報〉之謬妄》，《民報》第5號，1906年6月26日。

27 《中國同盟會革命方略》，《孫中山全集》第1卷，第297-298頁。

在《革命方略》中，沒有直接談到設置「約法」一期的用意和目的，也沒有指明實行約法就是要使軍政府與地方自治相約，與原來強調約法的主要目的在於防止「英雄」擁兵割據相比，《革命方略》的表述相當模糊，只是說：「凡軍政府對於人民之權利義務，及人民對於軍政府之權利義務，悉規定於約法，軍政府與地方議會及人民各循守之，有違法者，負其責任。」而且最後總結道：實行革命程序，是要「俾我國民循序以進，養成自由平等之資格，中華民國之根本胥於是乎在焉」，似乎約法已不再有制約軍帥割據稱雄的作用，而主要是培養國民資格。這與孫中山原來的認識分別甚大。是否此時孫中山的思想發生了重大改變，而革命程序論主要針對民眾而來？值得深入探討。

同盟會的成立，令孫中山喜出望外，尤其是大批留學生接受革命主張，使其感到依靠力量發生了顯著變化。他在各種公私場合一再表露自己的喜悅心情，如在東京中國留學生歡迎大會上說：

> 「鄙人往年提倡民族主義，應而和之者特會黨耳，至於中流社會以上之人，實為寥寥。乃曾幾何時，思想進步，民族主義大有一日千里之勢，充布於各種社會之中，殆無不認革命為必要者。雖以鄙人之愚，以其曾從事於民族主義，為諸君所歡迎，此誠足為我國賀也。」[28]

一個多月後覆函陳楚楠，又對各省留學生積極加入同盟會表示歡欣鼓舞，「有此等飽學人才，中國前途誠為有望矣。」[29]後來他憶及當

28 《孫中山全集》第1卷，第282頁。
29 《孫中山全集》第1卷，第287頁。

時情形，依然熱血沸騰，「及乙巳之秋，集合全國之英俊而成立革命同盟會於東京之日，吾始信革命大業可及身而成矣。」[30]這可以說是孫中山革命事業的重要轉折。前此依靠朝野各路「英雄」，這些人的「大者王小者侯之思」相當普遍，約法的重點不能不針對其野心。如今有了大批飽學之士，各具國民權利義務觀念和道德責任心，由他們擔任起義首領和軍政府首腦，帶領國民軍，自然願意實行共和憲政，則抑制軍帥野心的功能相應可以減少，而引導國民的責任隨之增加，也在情理之中。

儘管如此，斷言孫中山改變革命程序論的主要對象還為時過早。《革命方略》制定後到武昌起義前的一段時期，有關孫中山革命程序論的直接記載不多見，根據一些相關資料，可見孫中山對於革命程序論的基本設想和重心仍未改變。1906年11月在東京舉行的《民報》週年紀念大會上，孫中山發表演講，其中談到民權主義時說：

> 「惟尚有一層最要緊的話，因為凡是革命的人，如果存有一些皇帝思想，就會弄到亡國。因為中國從來把國家當作私人的財產，所以凡是草昧英雄崛起，一定彼此相爭，爭不到手，寧可各據一方，定不相下，往往弄到分裂一二百年，還沒有定局。今日中國，正是萬國眈眈虎視的時候，如果革命家自己相爭，四分五裂，豈不是自亡其國？」

照孫中山看來，外國人不能瓜分中國，而中國人自己瓜分，則不可挽救。「所以我們定要由平民革命，建國民政府。這不止是我們革命之目的，並且是我們革命的時候所萬不可少的。」既是革命的目

30 《建國方略》，《孫中山全集》第6卷，第237頁。

的，又是革命過程的必備條件，所指顯然包括革命程序論，而孫中山的側重，仍然在於防止革命時期掌兵權者割據稱雄。[31]

這一觀念孫中山始終沒有動搖。他後來回憶道：「當予鼓吹革命之時，擬創建共和於中國，歐美學者亦多以為不可」。1911年他路經倫敦返國時，英國名士加爾根因聞其「提倡改中國為共和，懷疑滿腹，以為萬不可能之事」，特地趕到旅館與孫中山辯論，「數日不能釋焉」。最後孫中山出示「革命方略之三時期，彼乃煥然冰釋，欣然折服，喟然而歎曰：『有如此計劃，當然可免武人專制、政客搗亂於民權青黃不接之際也。』」[32]主動表示今後將幫助孫中山進行宣傳。由此可見，革命程序論與《軍政府宣言》中莊嚴宣佈的「敢有帝制自為者，天下共擊之」的思想並行不悖，相輔相成，主要目的仍在防止武人專制。

進一步深究，《革命方略》與孫中山的早期思想也有所差別。《革命方略》的制定，主要參與者有黃興、章太炎、胡漢民、汪精衛等人，而黃、章二人很少言及革命程序論，或許是由於思想認識的不一致。目前所依據的《革命方略》，是1907年後孫中山與胡漢民、汪精衛共同修訂的本子，[33]其中很可能摻入了胡、汪二人的意見或反應了他們的觀念。

胡漢民和汪精衛秉承孫中山的意旨撰寫過許多文章，其中既闡述了孫中山的思想，也不同程度地表達了各自的見解，至少在理解孫中山的主張方面有各自觀念的作用。如在與保皇黨人的論戰中，汪精衛針對後者提出的「今後之革命，將不免於沿歷史上之自然的暴動乎？

---

31 民意：《紀十二月二日本報紀元節慶祝大會事及演說辭》，《民報》第10號，1906年12月20日。

32 《建國方略》，《孫中山全集》第6卷，第209頁。

33 張永福：《南洋與創立民國》，影印原件注，上海，中華書局1938年版。

抑果能達民族主義、國民主義之目的乎」的問題，認為解決之道有兩要義，一是革命之主義，二是革命之紀律。「紀律者，當立此主義以求達此目的之時所不可缺之手段也。而紀律本於主義而發生，使其主義為帝制自為，則其紀律或寬仁大度，以收人心，或恣為殘酷，以懾民志；使其為民族主義、國民主義，則其紀律必本於自由、平等、博愛之精神，以為民主立憲之預備，即孫君所言約法是也。」但他對「約法」的解釋，卻是：

> 「約法者，革命時代，革命團體與人民相約者也，……約法者，規律革命團體與國民之關係，使最終之結果，不悖於最初之目的者也。由是故與歷史上之自然的暴動異。彼之暴動，持其事者，以宰制萬類為目的；而此則國民相約，向於政治革命之目的而進行，故無相軋轢之患。且尤與法蘭西大革命時異。彼之革命，民黨之間，初無規律其關係之準則，故終相戕殺以成恐怖時代；而此則互相信任，各有職司，有法定之關係，為共同之活動，故無恐怖時代之慘狀。約法之為用如此。」[34]

在此，防止草昧英雄割據稱雄的本意變得相當模糊，而防範暴民政治的新解則十分突顯，這與孫中山原來的出發點有較明顯的區別。從文本及後來的變化看，孫中山似乎在一定程度上受到汪精衛等人的影響，接受或默許了他們的意見。革命團體與人民相約的說法，為後來改「約法」為「訓政」埋下一條伏線。

34 精衛：《再駁〈新民叢報〉之政治革命論》，《民報》第6號，1906年7月25日。

四　約法與《臨時約法》

武昌起義爆發後，全國革命形勢迅速發展。1912年1月1日，孫中山在南京就任臨時大總統，組成了以革命黨為主體的臨時政府，這為其提供了實現《革命方略》的可能性。然而，在有利的形勢下，孫中山並未將三時期的主張付諸實施，個中原因，值得探討。

正如孫中山所說，辛亥革命前，革命黨人對於民族主義的宣傳是卓有成效，影響巨大的，它易於為不同政治態度的人所接受。相比之下，對於民權、民生主義的宣傳就顯得十分薄弱。由於汪精衛等人認為約法的條理「非可宣之報章」，1906年以後，革命黨人很少公開發表文章論及革命程序論問題，與保皇黨的論戰也不了了之。同盟會雖然接受《革命方略》，真正能夠領會其苦心孤詣的人並不普遍，包括當時在這些問題上與孫中山的觀點比較一致的胡漢民等人在內，都不能完全認識革命程序論對於保障政權由專制轉向共和的重要性。因此，當實現這一主張的客觀條件具備之時，孫中山反而陷入孤立的境地。「民國建元之初，予則極力主張施行革命方略，以達革命建設之目的，實行三民主義，而吾黨之士，多期期以為不可。經予曉喻再三，辯論再四，卒無成效，莫不以為予之理想太高」[35]，令孫中山感到心灰意冷。由於革命黨內部的反對，《革命方略》終於不能實行，孫中山後來屢屢談及此事，均深以為憾。

另一方面，在革命的凱歌式進行之下，一批漢族官僚為了保全自己的利益，見風使舵，表面贊成共和，一時間全國上下一片擁護共和之聲。這使得革命黨人產生了某種錯覺，似乎從此共和政體可以永固無虞。對於袁世凱這樣狡詐的軍閥官僚，孫中山雖持戒心，但是，袁

---

35 《建國方略》，《孫中山全集》第6卷，第205頁。

氏永遠「贊成共和」的保證，又使之抱有幾分幻想，希望用一紙約法束縛住袁世凱的野心，革命程序論的軍政府與地方自治相約的約法反而不必要。因此，儘管他迫不得已辭去臨時大總統的職務，仍然對民國的前途滿懷信心。

1912年4月16日，孫中山在上海南京路同盟會機關發表演說，聲稱：「今滿政府已去，共和政體已成，民族、民權之二大綱已達目的。今後吾人之所急宜進行者，即民生主義。」並且論證成功的原因道：「是夫民族、民權之二主義，在稍有人心者，舉莫不贊同之。即有堅持君主國體之說者，然理由薄弱，稍一辯論，即歸消滅。」認為排斥少數人壟斷政治之弊害的民權主義大功告成，共和制度已經實現，因此，為逐步過渡到完全民權而設置的革命程序論，自然成了多餘之物。當務之急，是實行黨內外阻力甚大的民生主義。所以，在辛亥革命後的一段時期內，孫中山只注意民生主義的推進，沒有提起過革命程序論。

無可否認，「民國元年的《中華民國臨時約法》，在那個時期是一個比較好的東西」，「它帶有革命性，民主性」。[36]頒佈約法，約束袁世凱之外，孫中山的積極願望當是實現民主共和制。這裡實際上跳過了約法時期直接進入到憲法時期。後人指責革命程序論沒有立即給人民以直接的民主權力，可是它從未真正實行過，而辛亥革命後頒佈的臨時約法，不但沒有給人民帶來真正的民權，後來連同自身也遭到軍閥政客的肆意踐踏。民眾得不到真正民權的癥結不在於革命程序論的某些環節的設置。

不僅如此，孫中山後來多次檢查辛亥革命失敗的教訓，認為重要原因恰好是沒有實行《革命方略》即革命程序論。他說：

---

36 《毛澤東選集》第5卷，第127頁。

「十二年來，所以有民國之名，而無民國之實者，……此不行革命方略之過也。」[37]

又說：

「辛亥之役，數月以內即推倒四千餘年之君主專制政體，暨二百六十餘年之滿洲征服階級，其破壞之力不可謂不巨。然至於今日，三民主義之實行猶茫乎未有端續者，則以破壞之後，初未嘗依預定之程序以為建設也。」

他特別指出，當時汲汲於制定臨時約法，「以為可以奠民國之基礎，而不知乃適得其反」[38]，致使流弊橫生，其為害包括，一、由軍政直接至憲政，不給革命政府訓練人民和人民養成自治能力的時間，結果「第一為民治不能實現，第二為假民治之名，行專制之實，第三則並民治之名而去之也」。二、沒有造成以縣為自治單位的民權基礎，主權在民失去依託，結果中央與省依然官治，不能轉向民治，人民沒有得到基本訓練，各縣未經人口清查和戶籍釐定，選舉變成劣紳土豪的求官捷徑，舞弊叢生，人民不得參與國事的憑藉，則國事操縱於武人官僚之手。三、國家機關不在縣自治基礎上成立，惟襲取歐美三權分立制，付重權於國會，結果「國會分子，稂莠不齊，薰藩同器；政府患國會權重，非劫以暴力，視為魚肉，即濟以詐術，弄為傀儡。政治無清明之望，國家無鞏固之時，且大亂易作，不可收拾。」

37 《中國革命史》，中山大學歷史系孫中山研究室、廣東省社會科學院歷史研究所、中國社會科學院近代史研究所中華民國研究室合編：《孫中山全集》第7卷，北京，中華書局1985年版，第66頁。

38 《制定建國大綱宣言》，《孫中山全集》第11卷，第102頁。

這實在是「合九洲之鐵鑄成大錯者也」。[39]從革命失敗的教訓中看到實行革命程序論的重要性與必要性，認為只有按照革命程序論所規定的步驟循序推進，才有可能實現真正民權。

五　由約法而訓政

袁世凱借民國之名行專制之實的嚴酷事實，使孫中山的滿腔熱望化為泡影，也使他從幻想中回到現實。「二次革命」失敗後，孫中山再度流亡日本，痛定思痛，他深感在中國欲建立名至實歸的共和制，必須有一個堅定服從領袖主義的組織和一套切實可行的措施。為此，他召集同志，組織中華革命黨，在該黨黨章的總章中重新提出三個時期的劃分，標誌著孫中山革命程序論的又一變化階段。

與前此比較，中華革命黨黨章關於革命程序論的表述在形式上沒有大的變動，但有兩點重要變化值得特別注意：第一，三個時期的名稱，分別由原來的「軍法之治」、「約法之治」、「憲法之治」改為「軍政」、「訓政」和「憲政」，其中一、三期的內容變化不大，關鍵在於第二期，由「約法」到「訓政」，使原來「軍政府與人民相約」的意義消失了，變成「以文明治理，督率國民，建設地方自治」。第二，規定自起義之日至憲法頒佈之時，總稱為「革命時期」，「在此時期之內，一切軍國庶政，悉歸本黨負完全責任」，而不是如《革命方略》所規定的由「軍政府」負責。

同時，該章程一面宣稱「凡中國同胞皆有進本黨之權利義務」，一面又將黨員分為首義黨員、協助黨員和普通黨員，在革命成功之日分別成為元勳公民、有功公民和先進公民，享有參政執政、選舉被

---

39 《中國革命史》，《孫中山全集》第7卷，第67-68頁。

選、選舉等不同等級的權利，而所有的非黨員在革命時期之內，「不得有公民資格。必待憲法頒佈之後，始能從憲法而獲得之；憲法頒佈之後，國民一律平等。」[40]這樣一來，革命黨的責任權利義務大大增強，而一般國民的地位則相對降低，在革命時期沒有公民資格，只能成為革命黨督導的對象。這些變動和區分，引起吳稚暉等舊日同志的懷疑和不滿，指為提倡權利；而後來也的確被國民黨加以利用，作為長期剝奪人民民主權利的藉口，產生了相當消極的歷史作用。

關於「訓政」，後來孫中山專門做過解釋，他說：「須知現在人民有一種專制積威造下來的奴隸性，實在不容易改變，雖勉強拉他來做主人翁，他到底覺得不舒服。」「所以我們革命黨人應該來教訓他，如伊尹訓太甲樣。」[41]對民眾的力量認識不足甚至輕視民眾的作用，是那一時代革命黨的通病，中華革命黨雖然自視為民眾的代表和指導者，實行民權主義，在強敵當前的形勢下，不能不對民眾有所依靠，其實關係仍然相當隔膜。況且孫中山的認識論本來包含先知先覺、後知後覺與不知不覺的分別。由「約法」改為「訓政」，從一定角度看似為經歷了民初政局變動的挫折後，孫中山思想的消極面增長的結果。

然而，孫中山何以會在大敵當前之下改「約法」為「訓政」，簡單的批評不能提供令人信服的解釋。

孫中山的這一改變，自有其時勢。他過去以為臨時約法給了人民直接民權，可以防止政客軍閥專制，因此革命成功，民族、民權兩大主義即告實現。而後來事態的發展證明這完全是空想。「吾黨之三民

---

40 《中華革命黨總章》，中國社會科學院近代史研究所中華民國研究室、中山大學歷史系孫中山研究室、廣東省社會科學院歷史研究室合編：《孫中山全集》第3卷，北京，中華書局1984年版，第97-98頁。

41 《在上海中國國民黨本部會議的演說》，中山大學歷史系孫中山研究室、廣東省社會科學院歷史研究所、中國社會科學院近代史研究所中華民國研究室合編：《孫中山全集》第5卷，北京，中華書局1985年版，第401頁。

主義，只達其一，其餘兩主義，未能施行。」[42]對於這樣令人沮喪的結局，孫中山在重新恢復以民權、民生兩主義為本黨宗旨的同時，認為重要原因為「不經訓政時代，則大多數之人民久經束縛，雖驟被解放，初不瞭知其活動之方式，非墨守其放棄責任之故習，即為人利用陷於反革命而不自知。」[43]所以必須加以訓導，以補人民程度之不足。

此外，這一改變與三時期領導者的變更密切相關。孫中山原來以軍政府作為三時期的政治領導，而軍政府的成份，除革命黨人外，尚有不少草莽英雄，加之前此革命黨的組織不夠嚴密，不少人懷抱帝王之志，必須用約法的形式加以限制。「二次革命」後，孫中山鑒於「黨員於破壞成功之後，已多不守革命之信誓，不從領袖之主張，縱能以革命黨而統一中國，亦不能行革命之建設，其效果不過以新官僚而代舊官僚而已。」[44]組建中華革命黨時，他為該黨規定了嚴密的組織和嚴格的紀律，希望以此保證加入者都是道德理想高尚的優秀分子，由這樣一個值得信賴的黨掌握政權，其責任就是訓導人民，培養民眾的共和國民之資格。用他自己對吳稚暉的解釋說：

> 「破壞之後便須建設，而民國有如嬰孩，其在初期，惟有使黨人立於保姆之地位，指導而提攜之，否則顛墜如往者之失敗矣。革命黨人未必皆有政治之才能，而比較上可信為熱心愛護民國者。革命黨以外未必無長才之士，而可信其愛護民國必不如革命黨，則國本未甚鞏固之時期，後彼而先此，其庶幾無反覆搗亂之虞，至於憲政既成，則舉而還之齊民。」[45]

42 《復黃芸蘇函》，《孫中山全集》第3卷，第129頁。

43 《制定建國大綱宣言》，《孫中山全集》第11卷，第102頁。

44 《建國方略》，《孫中山全集》第6卷，第206頁。

45 《致吳敬恒書》，《孫中山全集》第3卷，第151-152頁。

這樣，至少從主觀願望看，孫中山的「訓政」仍是對實現共和制的積極進取。

當時中國復辟帝制的呼聲甚囂塵上，形成一股渾濁的逆流。而一些革命黨人一方面認為人民程度不足，不能實行直接民權，另一方面又不願意擔負教育人民的責任。孫中山重視革命程序論，既想解決人民程度不足的問題，更重要的則是反對黨內外藉口人民程度不足阻撓實行直接民權，推動真共和的實現。「本來政治主權是在人民，我們怎麼好包攬去作呢？其實，我們革命就是要將政治攬在我們手裏來作。這種辦法，事實上不得不然。」民國成立數年，一般人民仍不懂共和的真趣，還需要再革命，「不單是用革命去掃除那惡劣政治，還要用革命的手段去建設，所以叫『訓政』。」[46]實行訓政，就是要革命黨人切實負起教育督導的責任，「革命志士自負為先知先覺者，即新進國民之父兄，有訓導之責任者也。乃有以國民程度太低，不能行直接民權為言，而又不欲訓練之以行其權，是真可怪之甚也。」所以他後來駁斥反對「訓政」的意見時說：「今之所謂志士黨人、官僚政客者將欲何為？既不甘為諸葛亮、文天祥之鞠躬盡瘁，以事其主，又不肯為伊尹、周公之訓政以輔其君，則其勢必至大者為王莽、曹操、袁世凱之僭奪，而小者則圖私害民為國之賊也。」

改約法為訓政，並不意味著孫中山民權主義的立場有所倒退。他認為共和國「皇帝就是人民」，堅信「民國之主人，今日雖幼稚，然民國之名有一日之存在，則顧名思義，自覺者必日多，而自由平等之思想亦必日進，則民權之發達終不可抑遏。」[47]他要李宗黄等人注意考察日本富強基礎的地方自治，認為其「官氣很重，是不合乎吾黨民

46 《在上海中國國民黨本部會議的演說》，《孫中山全集》第5卷，第400頁。
47 《三民主義》，《孫中山全集》第5卷，第190頁。

權主義全民政治的要求；但他們的某種精神和方法，在訓政時期卻很可參考」[48]。從中可見孫中山在目的與手段之間的權衡把握。所以他對公開發表文章批評其以元勳公民自號的吳稚暉說：「吾人亦本素所懷抱平等自由之主義，行權於建設之初期，為公乎？為私乎？以待天下後世之論定可耳。」[49]而且，「約法」易名為「訓政」，宗旨並未改變，「專制餘毒，滌除淨盡，國民權利，完全確實」，這是訓政一身而二任的雙重任務，經此則可以防止「政客之播弄與軍人之橫行」。[50]雖然這一時期沒有憲政之名，「而人民所得權利與幸福，已非〈借〉口憲法而行專政者所可同日而語」[51]。

由此可見，「訓政」就是由革命黨訓導人民去反對官僚軍閥實行專制統治，粉碎其復辟陰謀，同時反對假共和真專制，爭取實現真正的民主民權，這在當時仍然具有顯而易見的積極意義。況且，此後孫中山的一系列著作言論表明，他始終沒有放棄地方自治與中央相互制約的思想。

六　始終不渝

護法運動的失敗，使孫中山更加感到實行革命程序論的重要性，幾年中他在各種場合多次闡述這一主張，總結歷史教訓。「五四」運動和國共合作後，孫中山的思想有了重大變化，但是直到逝世，都沒有放棄革命程序論。毛澤東曾經說：「軍政、訓政、憲政三個時期的

---

48 《在上海與李宗黃的談話》，中國社會科學院近代史研究所中華民國研究室、中山大學歷史系孫中山研究室、廣東省社會科學院歷史研究室合編：《孫中山全集》第4卷，北京，中華書局1984年版，第491頁。

49 《致吳敬恒書》，《孫中山全集》第3卷，第152頁。

50 《中國革命史》，《孫中山全集》第7卷，第63頁。

51 《制定建國大綱宣言》，《孫中山全集》第11卷，第103-104頁。

劃分，原是孫中山先生說的。但孫先生在逝世前的《北上宣言》裡，就沒有講三個時期了，那裡講到中國要立即召開國民會議。可見孫先生的主張，在他自己，早就依據情勢，有了變動。」[52]或者據此認為孫中山在逝世前已經放棄了革命程序論，然而根據史料，還不能得出這樣的結論。

孫中山在逝世前幾年的一系列重要著作中，均十分強調革命程序論的重要性和必要性，認為辛亥革命失敗的重要原因，就在於沒有遵照執行。三時期「為蕩滌舊污、促成新治所必要之歷程，不容一缺也。民國之所以得為民國，胥賴於此。不幸辛亥革命之役，忽視革命方略，置而不議，格而不行，於是根本錯誤，枝節橫生，民國遂無所以為進行」[53]。他發起第二次護法，只是消極地維護民國，而堅持革命程序論才是積極地爭取真共和。

1919年10月，孫中山在上海闡述其救國方針，說：「吾人欲救民國，所可採者惟有兩途：其一，則為維持原狀，即恢復合法國會，以維持真正永久之和平也；其二，則重新開始革命事業，以求根本改革也。」[54]次年，他又指出：「救國只有兩途，一為護法，一為革命。今言護法，南方樹幟者，已有數年，徒使岑、陸諸奸假借名義，竊取利權，國會分子，又復良莠不齊，有負人民厚望。現護法一途，已有步步荊棘之象。……欲以挽救，恐非革命無以成刷新之局。」[55]所以，當他重建護法軍政府時，就毅然宣佈：「護法斷斷不能解決根本問題」，「要造成真正民國，還要將辛亥革命未了的事業做個成功。」[56]

52 《毛澤東選集》四卷合訂本，北京，人民出版社1968年版，第551頁。

53 《中國革命史》，《孫中山全集》第7卷，第66頁。

54 《在上海寰球中國學生會的演說》，《孫中山全集》第5卷，第139頁。

55 《復甘肅留日同鄉會函》，《孫中山全集》第5卷，第321-322頁。

56 《在廣州軍政府的演說》、《在廣州中國國民黨本部特設駐粵辦事處成立會的演說》，《孫中山全集》第5卷，第450、452頁。

而要重行革命，就必須實行革命程序論。「革命主義，必有待於革命方略，而後得以完全貫徹也。」[57]為此，他不斷強調革命程序論尤其是「訓政」的積極意義，「予之定名中華民國者，蓋欲於革命之際，在破壞時則行軍政，在建設時則行訓政。所謂訓政者，即訓練清朝之遺民，而成為民國之主人翁，以行此直接民權也。有訓政為過渡時期，則人民無程度不足之憂也。」[58]概言之，就是要「本革命之精神從事於建設」[59]。

關於自己這一套革命建設的實施步驟，孫中山相當自信。他在完善其革命理論時說：「予之於革命建設也，本世界進化之潮流，循各國已行之先例，鑑其利弊得失，思之稔熟，籌之有素，而後訂為革命方略」。「革命之建設者，非常之建設也，亦速成之建設也。夫建設固有尋常者，即隨社會趨勢之自然，因勢利導而為之，此異乎革命之建設者也。革命有非常之破壞，……則不可無非常之建設。是革命之破壞與革命之建設必相輔而行，猶人之兩足、鳥之雙翼也。」民國以來，經非常之破壞而沒有非常之建設，「此所以禍亂相尋，江流日下，武人專橫，政客搗亂，而無法收拾也。蓋際此非常之時，必須非常之建設，乃足以使人民之耳目一新，與國更始也。」[60]這樣，革命方略不僅在辛亥革命後應當施行，在孫中山決心重新革命的當時，更有現實的必要性。否則無法改造民國有名無實的政治亂相。

針對黨內外懷疑「訓政」者為數不少的情況，為了更加便於認識訓政的積極意義，國民黨一度將三時期變為二時期，即僅分軍政、憲政兩個時期進行革命，前者包括原來的軍政和訓政時期，統稱為革命

57 《中國革命史》，《孫中山全集》第7卷，第66頁。

58 《三民主義》，《孫中山全集》第5卷，第189-190頁。

59 《復國會議員同志函》，《孫中山全集》第5卷，第139頁。

60 《建國方略》，《孫中山全集》第6卷，第204-207頁。

時期，其間一切軍國庶政，均由國民黨負完全責任。「此期以積極武力，掃除一切障礙，奠定民國基礎；同時由政府訓政，以文明治理督率國民建設地方自治。」[61]如此則破壞與建設同時進行，軍政與訓政同為革命事業的兩面，訓政非但不會剝奪人民的應有權利，而且與軍政的破壞舊專制一樣，是為了賦予人民應有的權利，並使之學會掌握和運用這些權利。

孫中山堅持訓政，還有更深一層積極意義。本來民初跨越約法時期直接進入憲政階段，應是冒進躐等，革命黨人對此大都能夠接受，反而認為實行漸進的革命程序論理想太高。孫中山揭露空有一紙約法，不能達成共和憲政，此為固然，而據以批評革命同志喪失革命鬥志，似與情理不合。其關鍵在於孫中山提倡全民政治，所要達到的民權，並非通常所說美國式的代議制民主，而是瑞士型的直接民權。他認為：「現行代議制度已成民權之弩末，階級選舉易為少數所操縱」，要實踐民權真義，應實行普選制度，廢除以資產為標準之階級選舉；以人民集會或總投票方式，直接行使四大民權；人民有集會、結社、言論、出版、居住、信仰的絕對自由。[62]「美國之憲法，雖以民權為宗，然猶是代表之政治，而國民只得選舉之權而已。而瑞士之憲法，則直接以行民政，國民有選舉之權，有復決之權，有創制之權，有罷官之權。此所謂四大民權也。人民而有此四大權也，乃能任用官吏，役使官吏，駕馭官吏，防範官吏，然後始得稱為一國之主而無愧色也。」[63]

按學理比較而言，實行直接民權比間接民權對於社會發展和人民素質的要求更高，國內外人士因此認為孫中山過於理想化，革命黨內

61 《中國國民黨總章》，《孫中山全集》第5卷，第401-402頁。

62 《中國國民黨宣言》，《孫中山全集》第7卷，第3頁。

63 《三民主義》，《孫中山全集》第5卷，第189頁。

外反對程序漸進者，也是認為人民程度不足，不可能實行直接民權，而贊成進入代議制的憲政。孫中山不贊成直接進入憲政，表面看來似較保守，實則就民主制度的內容而言，要求卻高得多。因為是直接民權，民眾必須具備良好素質，革命黨人訓導的責任自然重大。而只有實行直接民權，才能有效地防止民主制度蛻化變質，根本改變民初以來名存實亡的代議制民主的惡相。

孫中山在《北上宣言》中確實未提三個時期，但在闡述其對內政策時，講到以縣為單位的地方自治，這種分縣自治正是訓政時期的主要內容。他說：「吾夙定革命方略，以為建設之事，當始於一縣，縣與縣聯，以成一國，如此，則建設之基礎在於人民，非官僚所得而竊，非軍閥所得而奪。」[64]1918年以前，孫中山關於革命程序論中以縣為單位的地方自治內容、標準並無詳細勾畫，後來撰寫《建國方略》時，擬定每縣於敵兵驅除、戰事停止之日頒佈約法，規定人民之權利義務與革命政府之統治權，限期三年，縣自治局掃除積弊，過半數人民瞭解三民主義，歸順民國，並將人口清查、戶籍釐定、警察、衛生教育、道路各事照約法所定之最低標準充分辦就，即可自選縣官，成為完全自治團體。全國平定6年後，各縣已達完全自治者，各選代表一人，組成國民大會，實行憲政。

到1924年制定《國民政府建國大綱》時，有關內容有所調整和充實。訓政開始的時間，由全國平定改為由「一省完全底定之日」起計算，憲政開始時間，則相應以「一省全數之縣皆達完全自治」之時為準，全國過半數省份達至憲政開始時期，即全省〔國？〕之地方自治完全成立時期，當即召開國民大會，頒行憲法。憲法頒佈之日，即為

64 《中華民國建設之基礎》，中國國民黨中央委員會黨史委員會編訂出版：《國父全集》第2冊，臺北，1973年版，第180頁。

憲政告成之日。而在縣的地方自治時期，除實行前此規定的民權主義各項內容外，明確必須實行民生主義的平均地權、公共事業、利用外資，並規定了中央與地方的財政關係。

鑑於軍閥統治「南與北如一丘之貉」，孫中山特別強調實行地方自治，「異於偽託自治之名，以行其割據之實者」。[65]他支持廣東試行縣級地方自治，1924年頒佈贛南、贛中善後條例，都是實行革命程序論的例證。可見，孫中山提出「國民會議」的主張，並不是以此來取代三個時期，二者各有不同的作用。前此，孫中山雖以和平方式實現全國統一為好，但認為條件不具備，因而堅持武力統一。1924年10月，馮玉祥在第二次直奉戰爭中倒戈政變，進而控制了北京的中央政權，電請孫中山北上，共商國策。孫中山分析形勢，認為和平統一有了可能性，至於能否實現，需要全國各界人民共同努力，造成強大的政治壓力，以打破軍閥的野心。因此，他提出召集國民會議，作為統一中國「第一步的方法」。[66]這顯然是應對時勢的臨時措施，而非不可逾越的必經程序。

孫中山在遺囑中鄭重囑咐：「現在革命尚未成功。凡我同志，務須依照余所著《建國方略》、《建國大綱》、《三民主義》及《第一次全國代表大會宣言》，繼續努力，以求貫徹。最近主張開國民會議及廢除不平等條約，尤須於最短期間促其實現。」[67]《建國方略》和《建國大綱》是孫中山後期為了中國未來的革命和建設事業而撰寫的重要文獻，其中特別強調革命程序論的重要意義。從孫中山晚年的著述中可以看出，他為維護共和國而進行的實際鬥爭愈是遭受挫折，就愈是堅持革命程序論。尤其是《建國大綱》的制定，再次以綱領的形式重

65 《制定建國大綱宣言》，《孫中山全集》第11卷，第103頁。

66 《與長崎新聞記者的談話》，《孫中山全集》第11卷，第365頁。

67 《國事遺囑》，《孫中山全集》第11卷，第639-640頁。

申革命程序論的重要與必要。

在《制定〈建國大綱〉宣言》中，孫中山強調：「未經軍政、訓政兩時期，臨時約法決不能發生效力」，「本政府有鑑於此，以為今後之革命，當賡續辛亥未完之緒，而力矯其失。即今後之革命，不但當用力於破壞，尤當用力於建設，且當規定其不可跨越之程序。爰此本意，制定國民政府建國大綱二十五條，以為今後革命之典型。」[68]可見，頒佈《建國大綱》，用意之一，正是肯定革命程序論，要依照辛亥革命未能實行的《革命方略》的步驟，完成其未能完成的革命任務。《制定〈建國大綱〉宣言》發佈於1924年9月24日，如果孫中山以國民會議取代三時期，應對此原則變動加以說明和解釋，否則二者並非相互替代。

孫中山對於革命程序論的不斷探索和一貫堅持，體現了他一生為共和國而奮鬥的不屈不撓的鬥爭精神和始終不渝的堅強信念。革命程序論在辛亥革命前，是為了推翻清朝專制統治，建立共和國；在辛亥革命後，則是為了打破軍閥割據和政客弄權，實現真正的民主。無論名稱怎樣改變，堅持民主共和的方向始終如一。

---

68 《制定建國大綱宣言》，《孫中山全集》第11卷，第103頁。

孫中山與傳統文化

關於孫中山與傳統文化的關係，中外學者近年來宏論甚多，但分歧也不小。在日本，主要集中於動機為利用還是信仰[1]；在中國大陸，則反映於過程的離異與回歸是否存在。細讀已有成果，比照孫中山的言論著述，覺得要瞭解其與傳統文化的關係，並非易事。原因在於：1. 所謂傳統文化，並無清晰定義與分界。2. 孫中山未受過嚴格系統的國學訓練，無師承門派，又以政治家革命者的態度對待文化問題。3. 限於資料和孫中山很少引文的習慣，無法按時間順序確知其在各階段讀過哪些傳統文化的典籍，這些書籍又對其思想政略的形成發展起過何種作用。此外，由於孫中山接受傳統文化的途徑不止讀書一條，他還常常從與周圍人的交談討論中汲收知識，問題更為複雜。上海孫中山故居的藏書是目前所知解迷的一大關鍵，可惜尚無緣得見。因此，只能就比較容易確證的孫中山接觸傳統文化的語言工具、接受的具體層面及其基本態度等三個問題，略陳管見，以為進一步論證的鋪墊。

一　語言工具

就大文化而言，對於傳統文化的學習繼承，最重要的途徑是教

1　島田虔次：《關於孫中山宣揚儒教的動機論》，中國孫中山研究學會編：《孫中山和他的時代——孫中山研究國際學術討論會文集》下冊，第1738-1749頁。

育。中國有大量以文字形式流傳的典籍，表述和記載中國傳統文化的主要符號是中文，而未受教育者即使置身同一文化環境中，與大文化的關係也相當疏離。瞭解孫中山與傳統大文化的關係，首先應當考察其作為母語的漢語程度。這一問題早期並非沒有疑問，例如吳稚暉就曾懷疑孫中山是否識字。[2]即使到今天，海內外研究者對其漢語水準持懷疑態度者也不乏其人。當然，一般說來，人們主要是以閱讀和寫作文言文等書面語的能力作為評判標準。

孫中山自稱：「幼讀儒書，十二歲畢經業。」以後輾轉於夏威夷、香港和香山，「復治中國經史之學」。然後改習西醫，「於中學則獨好三代兩漢之文」。[3]他9歲入村塾，先後隨王姓塾師、賴桂山、程步瀛學習《三字經》、《千字文》、《幼學故事瓊林》、《古文評注》以及四書五經選讀等。這是中國農民子弟一般所能受到的啟蒙教育。據Rawski 在《清代教育與民眾識字率》一書中的描述，其具體過程大致是頭一年學習「三百千」，即《三字經》、《百家姓》、《千字文》，學生可掌握兩千左右的漢字，然後學習四書五經。由於完全採用死記硬背的方式，學生並不明白所讀書籍的意思，更不用說四書五經所含的微言大義。而且，頭一年習字時一般不講解詞意，加上四書五經文字難懂，學生往往認不出已學之字，更無法將這些字聯組為有意思的詞。《幼學瓊林》之類的讀物，正是為瞭解決這一矛盾而增設，以便幫助學生運用已學過的字來讀書作文。經過兩三年的學習，學生可以讀寫簡單的文章。[4]在傳統教育體制中，這只是為正式進入儒學教育做

---

2 中國國民黨中央黨史史料編纂委員會編印：《吳稚暉先生全集》第5冊第9卷，臺北，1969年版，第46-49頁。

3 《復翟理斯函》，《孫中山全集》第1卷，第47-48頁。

4 Evelyn Sakakida Rawski: Education and Popular Literacy in Ch'ing China, The University of Michigan Press, 1979。

準備。而孫中山的啟蒙僅僅達到這一程度。他曾向塾師要求講解所讀書籍的內容，遭到拒絕，於是發誓今後要自己讀出書中的道理來。[5]

舊式啟蒙教育的弊端之一，是學生如果不能繼續學習以達到讀懂的程度，便容易忘記。孫中山雖然記憶力較強，也難逃此厄運。他說：「我亦嘗效村學生，隨口唱過四書五經者，數年以後，已忘其大半。」[6]

1879年至1883年，孫中山遠赴檀香山，回國後又到香港就學，所進均為英文學校。此後來往於檀香山、香港之間，直到1886年20歲時進入廣州博濟醫院學醫，才在課餘請陳仲堯教授國文，每日堅持不斷。一年後他轉到香港西醫書院，「陳亦同行，遂仍日就陳讀」。[7]這是他第二個集中學習中文的時期。儘管在檀香山和1883年在香港拔萃書室讀書期間，曾分別請杜南、區鳳墀幫助補習國文，但時間很短，收效不大。所以，1895年11月6日《鏡海叢報》所刊《是日邱言》稱：孫「壯而還息鄉邦，而不通漢人文，苦學年餘，遂能讀馬、班書，撰述所學。」在此前後，孫中山還在檀香山「從鄉中宿儒陸星甫、楊漢川潛修國學」。[8]

經過一段刻苦用功，孫中山的中文有了長足進步。到1892年畢業之際，漢文「所學亦已大進，人咸訝其進步之速。」[9]其早期撰寫的幾篇文字，如1890年的《上鄭藻如書》、1891年的《教友少年會紀事》、《農功》、1894年的《上李鴻章書》，雖然曾經陳少白等人修改潤色，基本由孫中山獨力完成，可見其漢語程度不像有些人認為的那樣

5 陳錫祺主編：《孫中山年譜長編》上冊，第18頁。

6 《在滬尚賢堂茶話會上的演說》，《孫中山全集》第3卷，第321頁。

7 馮自由：《革命逸史》初集，第14頁。

8 陸燦：《孫中山公事略》，廣東省孫中山研究會主編：《孫中山研究》第1輯，廣東人民出版社1986年版，第334頁。

9 馮自由：《革命逸史》初集，第14頁。

差。此後的《擬創立農學會書》、《致區鳳墀函》、《復翟理斯函》、所譯《紅十字會救傷第一法》等，也應是其本人手筆。

一定程度的中文和中學素養，是孫中山與中國士紳交往聯繫的重要依託。在早期香港的學友中，陳少白、尤列國學素養較好。組織農學會時，又與劉學詢等官紳往來。特別是1898年後，孫中山與許多正途出身的維新士紳接觸，如汪康年、文廷式、梁啟超、章炳麟、汪有齡、周善培、以及眾多康門弟子，其中文廷式、章炳麟和梁啟超在近代學術史上佔有顯著位置，章、梁還是大師級人物，沒有一點兒國學根基，真是無庸置喙。而孫中山與之交談切磋之際，不僅能夠大談西學，而且間或可以列舉經史以為佐證。

不過，孫中山所受國學教育畢竟有限，未經名師指教，極無系統，主要靠自己勤奮好讀，應付一般場合尚可，打通作為國學大道的經史則力有不逮。其所好三代兩漢之文，恐怕只能包括四書五經及《史記》、《漢書》，而且限於精神大意及文詞文采。所謂盲左馬班，時尚而已，與所說一些儒學語錄不過是當時的流行語一樣。現代學者博大精深如陳寅恪尚且自稱「不敢觀三代兩漢之書」[10]，可見學術研究與一般瞭解差距之大。

對於所稱好三代兩漢之文及學習方法，20年後孫中山本人有一段極好的說明：「乃取西譯之四書五經歷史讀之，居然通矣。」[11]關於此事，邵元沖所記更為詳盡：

> 「總理自言，幼時旅港肄業，所習多專於英文，嗣而治漢文，不得合用之本，見校中藏有華英文合璧四書，讀而大愛好之，

10 陳寅恪：《陳垣元西域人華化考序》，《金明館叢稿二編》，上海古籍出版社1982年版，第239頁。

11 《在滬尚賢堂茶話會上的演說》，《孫中山全集》第3卷，第321頁。

遂反覆精讀，即假以漢文之教本，且得因此而窺治中國儒教之哲理。又英譯本釋義顯豁，無漢學注疏之繁瑣晦澀，領解較易。總理既目識心通，由是而對中國文化，備致欽崇，極深研幾，以造成畢生學術之基礎。」[12]

這段話有兩點值得注意，其一，孫中山以英漢對照本讀四書五經，主以英文，輔以中文，則理解上中文反不及英文。其二，所以如此，是因為他不習慣於漢學注疏的繁瑣晦澀，英譯本反而易於理解。就方法而論，讀三代兩漢之文，不依賴注疏鮮有能通曉者；而英譯本釋義，等於按照譯者的語言文化詮釋重構。語言的互譯受抽象概念與經驗知識的雙重影響，往往發生錯解或變形。世界上沒有能夠完全對應的兩種語言，更不用說還有文化背景的差異（包括社會與個人），往往所指相同，各自的意思和理解卻大相徑庭。儒學對於歐洲走出中世紀的神學壟斷，步入理性世界起了重要作用，為啟蒙大師們交口讚譽。他們對儒學的理解，與中國人顯然不盡相同。

將四書五經全文英譯的是英國漢學家理雅各（James. Legge, 1814-1897），1843-1873年他擔任英華書院院長期間，在王韜的幫助下完成譯事，於1861至1886年陸續出版。孫中山讀的很可能就是這一譯本。儘管這迄今仍被認為是範本，但孫中山以此為捷徑，所理解之儒，既非先秦舊儒，亦非中古新儒，更非近代的孔家店，而是洋裝歐化的舶來品。這使他對儒學的看法與一般新學者迥異。孫中山的國文後來雖有進步，漢籍英讀的方法始終未曾捨棄，據說讀十三經時仍用英譯本，以便撰寫理論著述，或準備三民主義演講。可見此法影響孫中山的一生。

---

12 邵元沖：《總理學記》，尚明軒、王學莊、陳崧編：《孫中山生平事業追憶錄》，北京，人民出版社1986年版，第694頁。

孫中山的英文又如何？據目前所見資料，其閱讀、聽說能力較強。他受過12年的英語教育，在同時代的中國人中，外語算是出類拔萃。其閱讀書籍以英文為主，中英文著述的內容差異而外，書面語的理解力英文優於中文，當是重要原因。講的方面，流亡海外時，除非與華僑交往或有翻譯在場，一般以英語為交際手段，據說水準之好常使一些歐美人士感到驚訝。如他能進入博濟醫院，即因與該院主持人美國嘉醫生（Dr. John L. Kerr）在街上偶遇，用英語交談，後者「深訝此青年所說英語之流利」，「以英文通達可為院用」。[13]不過，若以高標準衡量，並非沒有瑕疵。1912年1月11日金陵關稅務司盧力飛（R. De. Luca）與英國領事衛金生拜會過任臨時大總統的孫中山後說：「他講的英文還不差，但不是完美無疵。」[14]

語言學習中，寫往往最難掌握，孫中山在這方面也是力不從心。使其海外揚名的英文著作《倫敦被難記》，據康德黎夫人日記，是由康德黎幫助他寫成。[15]稍後計劃撰寫的另一著作，則由孫中山口述，由柯林斯記錄整理。在《倫敦被難記》中，孫中山坦承：「顧予於英文著述非所長，……而遣詞達意尤得吾友匡助之力為多，使非然者，予萬不敢貿然以著作自鳴也。」[16]此言絕非謙詞。在答覆《自由俄國》雜誌編輯的索文函時，他再度表示：

> 「我必須承認，即沒有一位朋友的幫助，我將不能用純熟的英文寫出任何東西。在文字工作上說明我的人，近幾天恰好不在

13 鄭照：《孫中山先生逸事》，《孫中山生平事業追憶錄》，第517頁。

14 中國近代經濟史資料叢刊編輯委員會主編：《中國海關與辛亥革命》，北京，中華書局1983年版，第133頁。

15 陳錫祺主編：《孫中山年譜長編》，第128頁。

16 《倫敦被難記》，《孫中山全集》第1卷，第49頁。

首都。因此，對於論述法國和俄國在中國的文章，我無法向你提供一篇自己寫的關於這個題目的評論。」[17]

當時孫中山迫切需要擴大其國際影響，坐失良機，實在是出於無奈。這種情況後來並無改善，1904年他在美國與王寵惠合作撰寫《支那問題真解》，要求出版者不僅仔細訂正全文，而且特別對他自己寫的最後5頁要「以更正確的英文來改寫一下」[18]。1914年，當擔任英文秘書的宋氏兩姊妹因故離開時，用英文回信也成了孫中山的一大負擔。[19]可見，孫中山還不能像以英語為母語的人那樣使用這門工具。那麼，從英譯本理解漢籍，不能不打些折扣。

日語對孫中山認識傳統文化也有一定關係。二次革命失敗流亡東京時，他系統讀過日本人編的《漢文大系》，犬養毅等人又一再叮囑他要堅持傳統文化。不過，孫中山雖然在日本生活了7年多，日語水準卻不高。到日本之初，他曾計劃學習日語，並請宮崎寅藏代為尋找通漢文的僕人，自己也設法尋覓曉日語的華童，「皆不得也」[20]。此後，「雖居日本，雅不喜學日語。陳白嘗謂孫曰：『君宜學日語。』孫大聲曰：『吾為學日語來耶？』」[21] 1914年日本員警當局在監視報告中稱：「孫文只知極簡單單詞外不通日語，而頭山滿英語、漢語均不通，即使見面仍不能直接交談，且未發現頭山與孫文間通過第三者聯絡謀劃之事。」[22]孫中山與日本人的交往，或假手筆談，如對宮崎寅

17 《復伏爾霍斯基函》，《孫中山全集》第1卷，第107頁。

18 《致麥克威廉斯函》，《孫中山全集》第1卷，第256頁。

19 《致戴德律函》、《致咸馬裏夫人函》，《孫中山全集》第3卷，第145、148頁。

20 《與宮崎寅藏等筆談》，《孫中山全集》第1卷，第178、179頁。

21 《孫逸仙小史》，《民立報》，1911年11月23日。

22 俞辛焞、王振鎖編譯：《孫中山在日活動密錄》，天津，南開大學出版社1990年版，第610頁。

藏等，或借助英語，如對平山周，或通過翻譯，如陳少白、戴季陶等。當時的留學生和亡命客，多喜歡在書信文章中夾日語假名，而孫中山只使用過「さん」這個最常用的接尾詞。[23]據久保田文次教授示教，孫中山能夠簡單地用日語會話，只是正式場合從不使用。揆諸情理，倒也可信。因為與之共處的日本人當中，確有不識字又不能靠翻譯傳通之人，除非孫會簡單的日語，否則無法溝通。

綜上所述，孫中山掌握語言工具的方式的確比較奇特，閱讀方面英文強於中文，寫作方面卻中文長於英文。接受與表述使用兩套文字，又從英譯本讀經，這樣，雖然對傳統文化的理解契合處不少，但時裝洋化的現象在所難免。弄懂弄通已不易，遑論繼承正道？

二　偏好史地

傳統文化一詞，至少目前使用起來有些只可意會不可言傳，內涵外延因人而異，界定含混，並無公認準則。由於儒學的影響巨大久遠，幾乎成為傳統文化的代名詞，中外學者談到孫中山與傳統文化的關係時，不少人就直指儒教或儒學。然而，儒教與傳統文化二者並不對應，因為儒雖顯中國傳統文化特徵，卻不能涵蓋後者。對此，陳寅恪早有高論。他在《馮友蘭中國哲學史下冊審查報告》中說：「中國自秦以後，迄於今日，其思想之演變歷程，至繁至久。要之，只為一大事因緣，即新儒學之產生，及其傳衍而已。」「自晉至今，言中國之思想，可以儒釋道三教代表之。此雖通俗之談，然稽之舊史之事實，驗以今世之人情，則三教之說，要為不易之論。儒者在古代本為典章學術所寄託之專家。……遺傳至晉以後，法律與禮經並稱，儒家

---

23 《致萱野長知函》，《孫中山全集》第1卷，第355、357頁。

周官之學說悉採入法典。夫政治社會一切公私行動，莫不與法典相關，而法典為儒家學說具體之實現。故兩千年來華夏民族所受儒家學說之影響，最深最巨者，實在制度法律公私生活之方面，而關於學說思想之方面，或轉有不如佛道二教者。」「凡新儒家之學說，幾無不有道教，或與道教有關之佛教為之先導。」[24]

對此龐大課題，本文難以展開，所要強調的是，至少春秋戰國以來，思想層面的所謂傳統文化經歷了百家、儒墨、法家、黃老、玄學、三教的興替，孫中山本人在言論著述中，先秦諸子就提及過管子、商鞅、老子、墨子、鬼谷子等。各家內部派別林立，墨析為三，儒分為八，往往相反相對，而各家之間有時反而互相溝通。如「秦之法制實儒家一派學說之所附系，中庸之『車同軌，書同文，行同倫』為儒家理想之制度，而於秦始皇之身，而得以實現之也。」[25]即使同一派別，也有階段之異。孔子之儒與子思、孟子之儒已有所不同，宋明理學變化更大。孫中山說：「我輩之三民主義首淵源於孟子，更基於程伊川之說。」其實二者分別不小，而他只管取其所需。他後來常常講的陽明心學，與程朱理學又有所不同。從學術淵源考察，不知異同則不專精，不究脈絡則難通博，稱之為中國文化的集大成者，頗為牽強。孫中山自稱三民主義「不過演繹中華三千年來所保有之治國平天下之理想而成之者也」[26]，即使排除矯情，也應從政治角度來理解。

孫中山好讀書買書，與之相識的中外人士有口皆碑。他不但平常手不釋卷，就連流亡顛沛、戎馬倥偬、日理萬機、身陷危境、重病臥

24 陳寅恪：《金明館叢稿二編》，第250頁。

25 陳寅恪：《金明館叢稿二編》，第251頁。

26 《與日人某君的談話》，廣東省社會科學院歷史研究所、中國社會科學院近代史研究所中華民國史研究室、中山大學歷史系孫中山研究室合編：《孫中山全集》第9卷，北京，中華書局1986年版，第532頁。

榻之際也堅持不懈。給人印象最深的是，每當革命事業遭受挫折失敗時，他便「取專門巨著而細讀之，從容一如平時，一點無沮喪悲觀的形象。」[27]僅此一事，即令追隨者欽佩得五體投地，自覺形穢。好讀者愛買書，孫中山從在檀島讀書時起，就養成買書的習慣。儘管他經常顛沛流離，還是不斷地大批買書，特別是各種新書，有時即使借錢也要買。在廣州大本營時期，每月買書需毫洋三百元（約合美金150元）。他一生東奔西走，隨身行李主要是書籍。讀書是孫中山吸收傳統文化的重要途徑。

要想弄清楚孫中山如何從閱讀中接受傳統文化的薰陶，則須進一步分析所讀內容。首先，孫中山讀書買書以英文為主。這一方面由於其閱讀理解英文強於中文，更重要的是，他認為「讀書要多讀新出版的名著，這樣才能淵博，才能吸收新知。」[28]而在孫中山的有生之年，有創意的中文新書尚不多見。像梁啟超那種輾轉販賣的二手貨，只能吸引國內的青年學子和蒙昧官紳，留學生已經嘖有煩言，不時揭露其抄襲外人著述，在孫中山看來恐怕更少魅力。至於戊戌後新文化之風鼓蕩引進的種種西學新學，孫中山比較容易看出其中的淺薄錯誤，興趣也不會太大。他最喜歡買的書有兩類，一是「各國說到中國的書」，二是「最新講到各種主義的書」，[29]因而「把最新歐美的社會學說，無不瀏覽」[30]。他對歐美國家，至少是英文世界的社會人文、自然科學的名著、專著、新著相當熟悉，又善於使用年鑑等各種工具書，並與書店關係密切，可向外國直接訂購，十分瞭解最新思想學術動態。與人交談討論時，正是這一點令對方吃驚和敬佩。黃季陸幾次

27 黃季陸：《國父的讀書生活》，《孫中山生平事業追憶錄》，第838頁。

28 黃季陸：《國父的讀書生活》，《孫中山生平事業追憶錄》，第837頁。

29 吳敬恒：《總理行誼》，《孫中山生平事業追憶錄》，第713頁。

30 吳敬恒：《我亦一講中山先生》，《孫中山生平事業追憶錄》，第701頁。

講到關於《戰後歐洲新憲法》、《近代政治問題》兩書的事，足以證明。黃在美洲新獲，在歸途中剛剛讀完的這些新版書，孫中山不僅已經購得，而且看完上架。

從有關孫中山購買和攜帶書籍的記載看，所購絕大多數是歐美英文書，如廣州大本營時期每月150元美金，即用於購買外國書報。明確提到其買中文書籍的記載，只有一次在上海棋盤街的一間舊書店選購了一批線裝書。[31]流亡之際，隨身所帶也多為英文書。而中文書除用作宣傳品外，自己備用者據說有一部局刻《資治通鑑》。[32]在討論和撰述過程中須引用古籍時，孫中山求教於人多，指點與人少，和他對英文著作的熟悉適成鮮明對比。從邵元沖《總理學記》可見，在國學範圍內，孫中山不僅具體徵引中文典籍時要諮詢他人，就連看什麼書，以及研究某一問題時需要參考什麼書，也須他人提供意見。如中國製造舟車、發明火藥的起源，周秦學術流別，鄭和下西洋的史實及船舶構造等。而涉及西學範圍時，這種現象鮮有發生。

其次，在中文書裡，孫中山對史地的興趣更大，經書諸子，用功較少，尤不嗜美術圖畫，絲竹音樂，中西詩歌等。[33]邵元沖說：「總理畢生可謂不讀無益之書者，凡中西典籍以及報章雜誌，無不博讀，然從未見總理一讀小說雜部，及其它無關學術之書。」[34]這從孫中山本人的言論著述中可以得到印證。據大陸出版的《孫中山全集》，他只是在三民主義演講時提過一次《三國演義》，另外在他人轉述的談話中提及神仙說部。[35]即使西方文學，也僅提到一次人所共知的《魯濱

31 馬湘：《跟隨孫中山先生十餘年的回憶》，《孫中山生平事業追憶錄》，第121頁。

32 吳敬恒：《總理行誼》，《孫中山生平事業追憶錄》，第713頁。

33 張永福：《孫先生起居注》，《孫中山生平事業追憶錄》，第820頁。

34 邵元沖：《總理學記》，《孫中山生平事業追憶錄》，第697頁。

35 《與馮自由的談話》，《孫中山全集》第1卷，第586頁。

遜漂流記》，一次《黑奴籲天錄》。他雖有過一次與胡漢民、朱執信等談詩的記載，對詩詞顯然不熟，所以將蘇軾《題西林壁》中的「不識廬山真面目，只緣身在此山中」一句，當作成語。[36]

對於漢文古籍，孫中山史地較熟。曾任臨時大總統秘書、長期追隨孫中山的耿伯釗說：孫中山「看的書種類很多，有英文書籍，也有線裝的古書，主要的是學習歷史、地理和政治經濟。中山先生對中國歷史很有研究，他特別注意兩個朝代新舊交替的歷史。」[37]這與孫中山的言行相符。早年補習漢文時，他便以能讀馬、班書為準的。所謂好三代兩漢之書，後者具體即指《史記》、《漢書》。據說他曾詳讀過廿四史，又隨身攜帶《資治通鑑》，與人交談討論，常引史實為據。孫中山好史，與世風相合。清代樸學本來經史並重，但治經易而治史難，「於是一世才智之士，能為考據之學者，群舍史學而趨於經學之一途。」清末民初，經學盛極而衰，史學則呈宋以來再度復興之勢，原因為：「國人內感民族文化之衰頹，外受世界思潮之激蕩」。[38]孫中山雖非學者，但時局學風，感同身受。他說：「欲改革政治，必先知歷史；欲明歷史。必通文字」。[39]他發奮學習中文，正是為了明史。

當然，作為革命者，對歷史的興趣又別具特色，孫中山尤其注重新舊朝代更替的歷史，亦即「革命」的歷史。談論最多的是，殷周更替，楚漢相爭，隋唐之變，宋遼金和戰，元明興亡以及太平天國起義的歷史。其著眼點在於：1.「人民揭竿而起，匹夫有天下，歷史視為尋常」[40]，說明民主革命的合理性。2. 驅逐異族，實行民族革命的正

36 《在廣東省教育會的演說》，《孫中山全集》第5卷，第491頁。

37 耿伯釗：《孫中山先生的生活片段》，《孫中山生平事業追憶錄》，第218頁。

38 《陳垣〈元西域人華化考〉序》，陳寅恪：《金明館叢稿二編》，第238、239頁。

39 《在滬尚賢堂茶話會上的演說》，《孫中山全集》第3卷，第321頁。

40 《與羅斯基等的談話》，《孫中山全集》第1卷，第585頁。

當性。3. 民族英雄的精神業績及聖賢的成功之道。4. 義軍領袖的政略得失。5. 揭示中國既有政治制度的獨特性，以補充其建政理論，如五權憲法。6. 防止紛爭割據的必要與方法。顯然，其主要目的在於尋找除舊布新的要訣和鑑古知今的明鏡，以充實驗證其革命與治世方略。如他主張開放，便引述過著名的景教碑及唐代大批外國留學生來中土求學的史實，作為中國歷來並不自我封閉的證據。

史地相較，孫中山「於中國輿地研治最精」[41]，這方面可以說具有專業的水準。早年手繪《支那現勢地圖》，參考古今中外地圖製成，準確度堪稱當世第一。與同時由近代中國最精地理學的鄒代鈞翻譯繪製的詳圖相比，雖然詳略不一，但鄒代鈞各圖主要是譯刻，較少參校，孫中山則以鄒氏用作主要底本的俄國制中國各省圖與德國、法國制中國南北省地文、地質圖及英國制中國海圖相互比較，輯繪而成。在「撮取大要」的總圖之外，還準備製作「精詳」的分圖。此後，他依然樂此不疲，對收集研究地圖保持極大興趣，大本營時期參軍鄧彥華即為其專掌地圖。孫中山將研究地圖作為瞭解國情、制定方略的依據，但凡起義發難、交通佈局、港口整理、國防建設等，無不於精研地圖後決定。由此可見其科學務實精神。誠如他所說：「然實學之要，首在通曉輿圖，尤首在通曉本國之輿圖。」[42]

傳統文化不僅內容有別，層次也有異。長期以來，中國社會大小傳統並存互滲，士大夫思想與民間習俗差若天淵。有時同一言行，在不同文化層面含義迴異。孫中山出身嶺南農家，國學教育又不充分，加上西方科學精神的影響，以及他對社會學、經濟學、政治學等社會科學的鑽研，更注意從下層生活的實際體驗中吸取經驗，歸納提純，

41 邵元沖：《總理學記》，《孫中山生平事業追憶錄》，第696頁。

42 《〈支那現勢地圖〉跋》，《孫中山全集》第1卷，第187頁。

以充實其理論體系。在早期，他常常引述古史和親身經歷為證，如以僻地荒村之民的自議自理自治與三代之治相比照，說明中國可以實行共和制度。後來甚至說：「鄉村政治乃中國政治中之最清潔者，愈高則愈齷齪。」[43]又以景教、佛教、天主教在中國的傳播與民眾行為相參證，論證中國人本性並不排外保守。對西方文明的學習吸收，也力主親臨考察，眼見為實。他告誡留學生：「到外國去不要以能讀死書求得一點智識為滿足」，「除了專門科目而外，隨時隨地留心考察研究各國的人情、風俗習慣、社會狀況、以及政治實情等等」，[44]認為「活的智識」更為有用。二次革命後、避居上海時及晚年準備三民主義演講之際，孫中山曾大量閱讀中外典籍，對國學也下了一番功夫，但著書演講時，仍習慣於引述下層生活的實例。這不僅是求通俗易懂，也與早期論述風格相通。

下層社會長期受正統文化的影響，又有其獨立的規範，並非儒教所能涵蓋。魯迅即認為：中國根柢全在道教。即論儒學，孔子所承為周公禮制，開始禮不下庶人，後雖下移民間，卻演化為禮俗禮教。所謂神道設教，是大小傳統相互調適的表現。而調適後的文化現象在大小傳統間同源異形異義的情況相當普遍，如冥錢與名器即為一例。簡單冠以儒教之名，泛稱尚可，作為嚴格的學術概念，則欠準確。

三　信而不泥

孫中山對待傳統文化的態度，有兩個顯著特徵。其一，一般不贊成籠統地反傳統。戊戌以來，疑古反古思潮久盛不衰，到五四發展為

43 《在香港大學的演說》，《孫中山全集》第7卷，第116頁。
44 張道藩：《赴法國前晉謁國父的經過》，《孫中山生平事業追憶錄》，第786頁。

徹底的反傳統之風。與同時代的一般新派思想家不同，孫中山很少流露出根本否定傳統文化的傾向。他早年在家鄉打毀神像，被視為反傳統的行動，動因卻可能是基督教義的影響。對於俗尚鬼神，浪費大量資源，孫中山也有所批判。他不大相信中醫，「平生有癖，不服中藥」，卻「喜聆中醫妙論」。[45]這當然是學歷職業使然，同時也因為中醫的神秘尚未揭曉。那時激進如魯迅，寬仁如陳寅恪，對中醫都予以疑棄。

關於方塊漢字，孫中山認為：「每字一義，至為簡潔，亦當保存，惟於科學研究須另有一種文字以為補助，則採用英文足矣。」[46]這比漢字羅馬化的宣導者要平和得多。他甚至明確表態：「雖今日新學之士，間有倡廢中國文字之議，而以作者觀之，則中國文字決不當廢也。」[47]對於新文化運動，孫中山贊成其納新的一面，至於吐故，至少文化層面上未表贊同。他在三民主義演講時大談傳統文化，很大程度上也是對新文化運動疑古、反傳統和西化風潮的間接批評，不贊成簡單地全盤反傳統。

不作一般性的反傳統，與孫中山的認知方式及個人經歷密切相連。首先，孫中山不像近代多數革命或改革者那樣，將政治腐敗、社會落後歸咎於文化。尤其是新文化運動時期，對辛亥革命和民國政治的極度失望，令許多知識人產生焦躁憤激情緒。他們認為，單靠政治革命不能根本改造社會，只有從精神上割斷與傳統的一切聯繫，才能推動社會進步。孫中山則始終認為，專制政治是社會發展的主要障礙。他說：「幾世紀以前，中國為現代世界上各文明國之冠。到了現在，中國文化停滯，西方各國駕乎我上，我反瞠乎其後。這全由於中

45 《與葛廉夫的談話》，《孫中山全集》第11卷，第571頁。

46 《在歐洲的演說》，《孫中山全集》第1卷，第560頁。

47 《建國方略》，《孫中山全集》第6卷，第180頁。

國政治背道而馳。」[48]按照他的看法，「如果有了良政府，社會的文明便有進步，便進步得很快。若是有了不良政府，社會的文明，便進步得很慢，便沒有進步。」中國的歷史顯示，「周朝何以有那麼好的文明呢？便是因為有文、武、成、康的良政府。到了秦始皇焚書坑儒以後，政府便不良，文明便退化。弄到古時已經有了的文明，到後來幾幾乎絕跡。」[49]即使在早期，他也認為中國現實中的種種社會問題，「並不是出於中國人的天性，而是由於人為的原因和人工導致的傾向引起的。」只要推翻腐敗統治，建立賢良政府，就可以改進。他甚至認為，日本之所以強盛，就是因為保持了中國的舊文明。而中國喪失其固有文明，所以落後。[50]1922年他在公開演講中指出，中國文化兩千年來不進步的原因，一是政治專制，二是求進步的方法不對，即知而不行。解決的方法，正是恢復傳統。

其次，孫中山長期生活於海外，親歷各國，又熟悉中西史籍，很清楚中國文化在世界上的位置，因而沒有一般反傳統思想家的兩個通病，即對西方文化的看法理想化，缺乏切身體驗和全面瞭解，以及對歐美以外的其它文化視而不見，一味將中國與近代西方類比。孫中山深知西方社會亦有利弊，並不認為西方的一切優於中國，整體上堅持中西互補。1905年訪問第二國際時，他便表明希望中國跨越資本主義的意願。辛亥革命成功在望之際，他在歐洲提出：「取歐美之民主以為模範，同時仍取數千年前舊有文化而融貫之。」[51]民初又聲稱：「我中國是四千餘年文明古國，人民受四千餘年道德教育，道德文明比外

48 《與克拉克的談話》，《孫中山全集》第9卷，第151頁。

49 《在廣州全國青年聯合會的演說》，中山大學歷史系孫中山研究室、廣東省社會科學院歷史研究所、中國社會科學院近代史研究所中華民國史研究室合編：《孫中山全集》第8卷，北京，中華書局1986年版，第318頁。

50 《在東京中國留學生歡迎大會的演說》，《孫中山全集》第1卷，第278頁。

51 《在歐洲的演說》，《孫中山全集》第1卷，第560頁。

國人高若干倍，不及外國人者，只是物質文明。」[52]《建國方略》中更列舉大量史實證明，即使在物質方面，歷史上中國也長期處於領先地位，有些優勢甚至一直保持到近代。他批評那些認為外國高度文明是因為他們有一種特長的歸國留學生：「說這樣話的人，是自己甘居下流，沒有讀過中國歷史，不知道中國幾千年都是文物之邦，從前總是富強，現在才是貧弱。」[53]他認為中國文化不僅比澳洲、檀香山土人、印度山人、菲律賓人和北美黑奴要高得多，若「不以近代文化發達的情形比」，中國文化甚至「較西方各國的文化高的多」，[54]因此「人民的程度比各國還要高些」[55]。也就是說，孫中山認識到中國文化是世界上前近代社會的最高成就者。在此基礎上，1. 可以依託、改造、利用，易舊為新，轉弱為強。2. 不能照搬外國。如他主張取法外人，認為各國憲法，「有文憲法是美國最好，無文憲法是英國最好。」但英國「不能學」，美國「不必學」，而要以中國始創，自古獨有的考選、糾察來補充改善。[56]

再次，就傳統文化而言，孫中山很有些厚古薄今，視上古社會為理想楷模。他說：「中國現在底文明，一不如外國，二不如古人。中國古時底文明進步很快，外國近來底文明，進步很快。」[57]這裡的古，主要指三代之世，尤其是唐堯虞舜。早年他即對「古先聖賢王教

---

52 《在安徽都督府歡迎會的演說》，中國社會科學院近代史研究所中華民國史研究室、中山大學歷史系孫中山研究室、廣東省社會科學院歷史研究室合編：《孫中山全集》第2卷，北京，中華書局1982年版，第533頁。

53 《在廣州嶺南學生歡迎會的演說》，《孫中山全集》第8卷，第539頁。

54 《與克拉克的談話》，《孫中山全集》第9卷，第149-150頁。

55 《在東京中國留學生歡迎大會的演說》，《孫中山全集》第1卷，第280頁。

56 《在東京〈民報〉創刊週年慶祝大會的演說》，《孫中山全集》第1卷，第329-331頁。

57 《在桂林學界歡迎會的演說》，《孫中山全集》第6卷，第70頁。

化文明之盛」心仰慕之，以「生於晚世，目不得睹堯舜之風，先王之化」為憾，決心「再造中華，以復三代之規，而步泰西之法」。[58]民初又說：「我國數千年歷史之中，最善政體莫為堯舜。」[59]晚年尚儒，才說：「在我們中國，自有史四千餘年以來，社會極文明的時候，莫如周朝，那時候種種哲學和科學的文物制度，外國到今日才有的，中國三千年以前便老早有了。」[60]受此影響，孫中山往往感到中西相通，甚至認為西不如中，對近代流行一時的西學中源論有所附和。如稱經濟學「本濫觴於我國」[61]，而以管子為經濟學家。他以為西方共和政體與三代之治相合，「三代之治實能得共和之神髓而行之者也」[62]，以後一直堅持這種看法，「蓋堯舜之世，亦為今日之共和政體，公天下於民。」[63]

農業和教育，是孫中山早年關注的社會問題。他認為：「自古教養之道，莫備於中華，惜日久廢弛，庠序亦僅存其名而已。泰西諸邦崛起近世，深得三代之遺風。」[64]中華自古養民之道，首重農桑，先秦「為宰邑者，蠶績蟹筐，著有成效。近世鮮有留心農事者，惟泰西尚有古風。」[65]稱讚三代以上農政有專官之制，批評後世為民牧者「聽民自生自養」，使農政「日就廢馳」。[66]

孫中山的一些理論，的確是參照古史，針砭西方社會痼疾而來，

58 《復翟理斯函》，《孫中山全集》第1卷，第46-47頁。
59 《在神戶國民黨交通部歡迎會的演說》，《孫中山全集》第3卷，第43頁。
60 《在廣州青年聯合會的演說》，《孫中山全集》第8卷，第318頁。
61 《在上海中國社會黨的演說》，《孫中山全集》第2卷，第510頁。
62 《與宮崎寅藏平山周的談話》，《孫中山全集》第1卷，第173頁。
63 《在神戶國民黨交通部歡迎會的演說》，《孫中山全集》第3卷，第43頁。
64 《中國的現在和未來》，《孫中山全集》第1卷，第97頁。
65 《農功》，《孫中山全集》第1卷，第5頁。
66 《上李鴻章書》，《孫中山全集》第1卷，第10頁。

如五權憲法，他「主張五權分立制以救三權鼎立之弊」，認為彈劾、考試「二種制度，在我國並非新法，古時已有此制，良法美意，實足為近世各國模範。古時彈劾之制，不獨行之官吏，即君上有過，犯顏諫諍，亦不容絲毫假借。設行諸近世，實足以救三權鼎立之弊。至於考試之法，尤為良善，稽諸古昔，泰西各國大都係貴族制度，非貴族不能作官。我國昔時，雖亦有此弊，然自世祿之制廢，考試之制行，無論平民貴族，一經考試合格，即可作官，備位卿相，亦不為僭。此制最為平允，為泰西各國所無。厥後英人首倡文官考試，實取法於我，而法、德諸國繼之。」[67]據此，「故中國實為世界進化最早之第一國。徒知外國有三權，而外人則固視中國為民權發達最早，嘗摹仿吾國之辦法矣。」「故甚望保存此良法，而勿忘記中國自己之良法也。」[68]反對「祖宗養成之特權，子孫不能用，反醉心於歐美」[69]的外化思想。當然，五權不一定能救三權之弊，但孫中山即使在民主政治這個最重要的問題上，也強調傳統的重要與有用，並且其信念一貫而真誠。

不過，孫中山的理論原點多數還是來自西學以及對中國社會的考察體驗，與傳統文化的聯繫，有些是後來附會上去。例如平均地權思想，宮崎寅藏曾經問他：「先生土地平均之說得自何處？學問上之講求抑實際上之考察？」他答稱：「吾受幼時境遇之刺激，頗感到實際上及學理上有講求此問題之必要。吾若非生而為貧困之農家子，則或忽視此重大問題亦未可知。」[70]後來他提出的解決方案，主要是受歐美學說的影響。參與過有關討論的秦力山記道：「西儒社會學家論公

67 《在杭州陸軍同袍社公宴會上的演說》，《孫中山全集》第3卷，第346-347頁。

68 《宴請國會及省議會議員時的演說》，《孫中山全集》第4卷，第332頁。

69 《與劉成禺的談話》，《孫中山全集》第1卷，第444頁。

70 《與宮崎寅藏的談話》，《孫中山全集》第1卷，第583-584頁。

地者甚眾，惜東洋無譯本。□□□（應為孫逸仙）君通西文，嘗言之，然尚無成算。」[71]以後則逐漸加入三代井田、王莽王田、王安石青苗法、洪秀全公倉等例證。據梁啟超所記，孫中山開始並未引述中國史蹟，只是陳述自己對於現實的看法，提出土地國有之策。梁啟超聆聽之後，認為其說「頗有合於古者井田之意，且與社會主義本旨不謬。」[72]則孫中山引證史實，或許由此而來。

孫中山在撰寫《建國方略》及三民主義演講時，大量引述古史，也多是向他人討教得來。此舉用意有二，一則感到自己的認識與中國的歷史文化相通，所謂符合國情。因為「中國人之心性理想無非古人所模鑄，欲圖進步改良，亦須從遠祖之心性理想，究其源流，考其利弊，始知補偏救弊之方。」[73]二則以古史為據，易於宣傳推廣。因為「中國人崇拜古人的心思，比哪一國人都要利害些」[74]，所以用「不過廣我故規，參行新法而已」[75]相號召。

隨著時間的推移，孫中山的理論體系中越來越多地加進了國學的論據。到了晚年，他更將傳統儒學說成是三民主義的理論本源，而將三民主義視為儒學的繼承與發展。早期的中西相通和局部的中學優化說，與對中國道德文明的一貫篤信相揉合，進一步擴大為整體上中國政治哲學優越於西方近代文化的理念，將格致誠正修齊治平視為人類社會的最高範疇與真諦，指稱歐洲各種新文化新學說，「都是我們中國幾千年以前的舊東西」[76]。最終不僅認為王道優於霸道，而且以亞洲為「最古文化的發祥地」，歐洲古代的希臘羅馬文化都傳自亞洲；

71 遁公：《上海之黑暗社會自序》，《國民日日報》，1903年8月19日。
72 飲冰：《雜答某報》，《新民叢報》第4年第14號，1906年9月3日。
73 《建國方略》，《孫中山全集》第6卷，第180頁。
74 《在桂林學界歡迎會的演說》，《孫中山全集》第6卷，第68頁。
75 《上李鴻章書》，《孫中山全集》第1卷，第17頁。
76 《孫中山全集》第9卷，第230-231頁。

亞洲早就有哲學、宗教、倫理、工業的文化，「推到近代世界上最新的種種文化，都是由於我們這種老文化發生出來的。」[77]這些被胡適視為「自大狂」的觀念在學術上當然難以成立，但針對亞洲崇尚西洋文明，民族精神萎縮的時尚，確有值得反省之處。

孫中山對待傳統文化態度的第二個特徵是信而不泥。他並非書齋式的學問家思想家，自稱：「余所治者乃革命之學問也，凡一切學術有可以助余革命之知識及能力者，余皆用以為研究之原料，而組成余之革命學也。」[78]戴季陶曾經說：「我們讀書是彎著腰去接近書，中山先生則是挺著胸膛在讀書，合於他的需要的便吸取之，不合於他需要的便等閒視之。我們是役於書，而他則是役使著書。」[79]用孫中山自己的話說就是：「如能用古人而不為古人所惑，能役古人而不為古人所奴，則載籍皆似為我調查，而使古人為我書記，多多益善矣。」[80]

同時，從務實的角度出發，孫中山認為：「解決社會問題，要用事實做基礎，不能專用學說的推理做方法。」[81]其理論不少即是實地考察得來。這使得孫中山對傳統文化採取具體問題具體分析的態度，很少將中西文化作籠統的類比和簡單的是非判斷。例如他將文明分為物質和心性兩方面，「持中國近代之文明以比歐美，在物質方面不逮固甚遠，其在心性方面，雖不如彼者亦多，而能與彼頡頏者正不少，即勝彼者亦間有之。彼於中國文明一概抹殺者，殆未之思耳。」這些令新文化派大不以為然的見解，恰好反映了孫中山對待傳統文化的態度與之有別。

---

77 《對神戶商業會議所等團體的演說》，《孫中山全集》第11卷，第401頁。

78 邵元沖：《總理學記》，《孫中山生平事業追憶錄》，第694頁。

79 黃季陸：《國父的讀書生活》，《孫中山生平事業追憶錄》，第839頁。

80 《建國方略》，《孫中山全集》第6卷，第179-180頁。

81 《胡漢民自傳》，《近代史資料》1981年第2期，第15頁。

對於中國重文輕武的傳統，孫中山也不完全否定，一方面他承認：「其弊也，乃至以能文為萬能，多數才俊之士，廢棄百藝，惟文是務。此國勢所以弱，而民事所以不進也。」另一方面又認為：「然以其文論，終不能不謂為富麗殊絕。」「以文字實用久遠言，則遠勝於巴比倫、埃及、希臘、羅馬之死語。以文字傳佈流用言，則雖以今日之英語號稱流佈最廣，而用之者不過二萬萬人，曾未及用中國文字者之半也。」中國不為侵入之族同化，而能同化外族，「則文字之功為偉矣」。[82]另外，他對清朝的司法制度嚴厲抨擊，卻又說:「中國的成文法還算好」[83]，癥結主要在於官僚的貪污腐敗。

在孫中山看來，中國文化因時而異而非一成不變。因此，儘管他嚮往三代之治，對秦以降的專制政治則深惡痛絕，對清朝統治尤為憎恨，批評那種「以為我中國的文明極盛，如斯已足，他何所求」的自大保守傾向，認為「我們中國先是誤於說我中國四千年來的文明很好，不肯改革」。[84]他雖然盛讚中國創始考選，但承認「可惜那制度不好，卻被外國學去，改良之後成了美制。」[85]他不以對中國文化的推崇作為反對變革的論據，而鼓吹追尋將舊物變新物的改革之幸福。與一般的文化保守主義者不同，孫中山推崇上古治世，而對儒學內核的綱常名教，出於痛恨君主專制，早期鮮有贊詞。1919年手撰三民主義時，還明確表示：「我中國數千年來聖賢明哲，授受相傳，皆以為天地生人，固當如是，遂成君臣主義，立為三綱之一，以束縛人心。此中國政治之所以不能進化也。」[86]這也是孫中山思想與新文化運動共

82 《建國方略》,《孫中山全集》第6卷，第179-180頁。

83 《中國的現在和未來》,《孫中山全集》第1卷，第89頁。

84 《在東京中國留學生歡迎大會的演說》,《孫中山全集》第1卷，第279-281頁。

85 《在東京〈民報〉創刊週年慶祝大會的演說》,《孫中山全集》第1卷，第330頁。

86 《三民主義》,《孫中山全集》第5卷，第188頁。

鳴最強的表現。直到晚年宣講三民主義時，孫中山才開始提倡忠孝仁義，而加以重新解釋，賦予不同的內涵。

綜觀孫中山一生，對待傳統文化既有一以貫之的堅信，又有因時而變的權通。其既不墨守陳規也不輕言割棄的態度，使之與反傳統主義及文化保守主義區別開來，不僅當時獨樹一幟，也留給後人一種可資借鑑的思路。而用孫中山對待傳統文化的態度方法來研究孫中山的傳統文化觀，放棄簡單籠統的判斷，可能更容易理解歷史的複雜與真實。孫中山和同時代其它思想家的根本相異之處，或許就在於現實主義與所謂正義體系的對抗，而這正是孫中山認識方法的現代性與其它被傳統制約的思想家不同的重要表現。

信仰的理想主義與策略的實用主義
——孫中山的政治性格特徵

傑出人物或領袖在歷史上往往發揮超常的作用，而其作用的大小，除了取決於該人物所屬的群體及時代等要素外，還受其個性的影響。所以馬克思說：歷史「發展的加速和延緩在很大程度上是取決於這些『偶然性』的，其中也包括一開始就站在運動最前面的那些人物的性格這樣一種『偶然情況』。」[1]階級與個人不能等同，階級性或許決定了個性的最本質方面，但個人並不總是以其所屬的階級為轉移，因而階級性不能代替個性；同一階級甚至同一政治集團中的不同人物在相同的歷史條件下起著不同的作用，所以也不能簡單地用時代局限性來解釋他們之間的種種差異。如果只是在必然性的範疇中尋找區別這些差異的根據，而把個性這一在宏觀領域中的偶然因素排開，否定它對人物具體行為的決定作用，那麼，栩栩如生的人的歷史活動就會變成呆板的機械運動，個性差異淹沒在階級定性的公式之中，從而使千姿百態的歷史群像千人一面，籠罩上一層宿命論的神秘色彩。

所謂個性，本身也包含著內在的兩重性，作為一般人性的具體表現，它反映了人與自然界中其它生物的區別，其內涵是單純的；作為特定歷史階段和特定環境中的具體人，則又是無限豐富的。相對於個性所體現的一般人性，階級性無疑抽象得多。階級分析打破了抽象的

---

1 中共中央馬克思、恩格斯、列寧、斯大林著作編譯局編：《馬克思恩格斯選集》第4卷，北京，人民出版社1972年版，第393頁。

人性觀，使得對人的研究建立在社會經濟關係的客觀基礎之上，認識由籠統進一步細分化，但不應把個性僅僅當作抽象人性的表現而拋棄。一般人性和階級性可以反映個性最基本或最本質的特徵，可是個性絕不單純為一般人性和階級性的具體表現形態或演繹，它還包含大量不能為後者所涵蓋的因素。通過歷史人物研究階級性，需要抽象掉這些因素，一旦回到具體歷史人物的研究，卻必須著重考察這些因素。因此，研究歷史人物，不能簡單地停留在階級分析的層次上，而要具體地把握一般人性、階級性和個性三個不同層次的區別與聯繫。

孫中山無疑是一位傑出人物，可以說，在他身上演化著一部那個時期的中國歷史。然而，孫中山畢竟不只是歷史的直接投影，其個性十分鮮明而複雜，這不僅使得同時代人眾說紛紜，而且讓中外史學界至今爭論不休。特別是對他一生中各種「出格」之事，或熱衷於尋找辯解之詞，或善意地諱莫如深。可是，迴避與開脫絕非解決問題的良策，這種情況已經嚴重影響到孫中山研究的學術價值，一些國外學者對此頗有物議，他們的意見很難用立場不同的概念斷然排斥。而弄清孫中山的政治性格特徵，或許有助於總體把握其看似自相矛盾的言行的內在聯繫，得出符合歷史實際並經得起時間檢驗的結論。

一　政治性格的兩重性

孫中山從事革命活動40年，正是中國社會急劇動盪的時代，各種錯綜複雜的社會矛盾，接踵而至的內憂外患，令人難以承受和應付。孫中山不愧為民主革命的先驅，他似乎早已成竹在胸，描繪了中國社會未來前景的美妙藍圖——民主共和。令人讚歎的是，無論政治風雲如何變幻莫測，他竟然將這理想貫徹始終，在漫長的革命生涯中，幾乎從未停止過為達到理想目標而進行的不屈不撓的奮鬥。面對險象環生的惡劣境遇，經歷從舉國擁戴的風雲人物到一文不名的流亡生活，這樣的大起大落令不少有為之士、熱血青年或望而卻步，或中途落荒，孫中山卻始終一往無前，毫不動搖。這種超凡精神使得許多同時代人難於理解，陳炯明說他是不切實際的理想家，[2]更多的人呼之為「孫大炮」。實際上，孫中山把他的宗旨演化為中國未來社會的理想藍圖，反過來這種盡善盡美的景象又激發了他對自己政治信仰的幾分宗教式的虔誠與激情，把理想當成治療一切社會弊病的靈丹妙藥。有感於孫中山40年的執著追求，可以說他的確無愧於一位政治理想主義者，理想主義構成了孫中山政治性格的一個方面。

然而，如果僅僅把孫中山歸結為理想主義，可能導致曲解其政治性格特徵，甚至循著陳炯明的邏輯，把他所懷抱的崇高理想誤認為虛幻縹緲的空想。支持孫中山理想化信仰的，恰恰是靈活務實的機動策略。不少有識之士對他的堅毅精神和務實風格十分欽佩，早在1904年就有人感慨地說：「今青年之士，自承為革命黨者雖多，實則皆隨風潮轉移，不過欲得革命名稱以為誇耀儕輩，未必真有革命思想。其真有革命思想而又實行革命之規畫者，舍孫文之外，殆不多見也。」[3]值得注意的是，孫中山的靈活策略，帶有明顯的實用主義傾向，其極端表現，策略與宗旨往往看似相歧甚至相悖，即使政治鬥爭以勝負輸贏為目的實為通則，在此前提下實施高度靈活的策略並非例外，仍令人覺得其似乎有些不擇手段，目的至上。信仰的理想主義與策略的實用主義的矛盾統一，構成了孫中山政治性格的重要特徵，在某種意義上可以說是主要特徵。

政治性格由政治姿態所反映的個性因素來表現，將政治姿態與政治性格相比較，前者活躍多變，後者持續穩定。隨著社會環境的改

2　維經斯基：《我與孫中山的兩次會見》，《國外中國近代史研究》第1期。

3　《孫文之言》，《大陸報》第2年第9號，1904年10月28日。

變，孫中山一生的政治姿態始終處於變化、調節的過程之中，而他的政治性格卻沒有發生實質性的變易，從踏上革命道路一直到晚年的轉變，均可以找到信仰的理想主義與策略的實用主義對立統一的種種表現。而對立的兩極又各自包含兩種不同的發展趨勢。從理想主義方面考察，既可以成為信仰的支柱和政治實踐的精神動力，又可能脫離現實在自我精神世界追求中走向空幻。從實用主義方面考察，既意味著根據客觀實際的發展變化採取靈活多樣的對策，又可能導致無原則的投機妥協，甚至流於手段無足輕重，目的就是一切的極端功利化。分別寓於政治性格不同方面的理想主義和實用主義的兩重性，產生了這一對矛盾的向心力和離心力，使之在互相聯繫，互相依存的同時，潛伏著分裂離異的危機。信仰堅定和靈活務實奠定了孫中山政治個性的凝聚力，而空幻和投機則顯示了性格分裂的可能性。如果僅僅是理想主義，他將在信仰和空幻之間搖擺；如果僅僅是實用主義，則只會在靈活務實和投機取巧之間波動。

由此可見，孫中山的政治性格存在著順向與異向甚至逆向發展的可能，後者又表現為理想與實用兩個極端。有時某一傾向可能會膨脹到破壞其政治性格完整性的危險程度。但孫中山畢竟既非純粹的理想主義者，也不是單一的實用主義者，這兩種貌似格格不入的機制在他身上保持著相對的和諧，成為支撐其政治性格缺一不可的對立兩極。政治革命家或多或少帶有理想主義或實用主義傾向本無足怪，孫中山的政治性格中則具有兩種要素對立統一的不可分性。理想主義引導著實用主義的方向，制約著實用主義的範圍和程度；實用主義探索著通往理想境界的千途萬徑，形成跨越理想與現實之間鴻溝的橋樑。任何一方的過度發展破壞統一，都會導致對孫中山政治性格的否定。

孫中山一生中宗旨與行為的種種矛盾，突出反映了政治性格的相對穩定性及其表現的多樣性。作為民主革命的先行者，其最基本的政治態度體現在如何對待專制勢力、列強和人民大眾，也正是在這三個方面，孫中山的政治性格特徵鮮明地凸顯出來。

對待專制主義的態度，在辛亥革命前，集中體現在對待清朝皇權帝制，辛亥革命後，則主要是對待軍閥的統治。概括地說，就是民主共和與專制集權的對立。這是貫穿孫中山一生政治思想和行為的一條主線。從辛亥革命前的排滿革命，爭取共和到辛亥革命後的反對軍閥，維護共和，「掃除專制政治，建設完全民國」，以及實現真共和反對假共和等，清楚地反映出這一思想軌跡的前後連貫性。然而，在這一主線周圍，可以找到許多異向甚至逆向的枝杈。如1895年3、4月間，孫中山訪晤日本駐香港領事中川恒次郎時即已表明起義後要成立共和國，選舉總統。[4]1897年與宮崎寅藏談話中，又明確地闡述了對共和制的堅定信念，認為「共和政治不僅為政體之極則，而適合於支那國民之故，而又有革命之便利者也。」[5]惠州起義前後，孫中山更多次向日本和英、法等國的有關方面聲明其目的是建立共和國。

然而，在1900年致劉學詢函中，孫中山卻表示了對帝制的容忍，所謂「主政一人，或稱總統，或稱帝王」一句，使得一些學人懷疑他是否已由治病救人的濟世醫生轉變為匡世救國的革命鬥士。同時，孫中山為了集中力量衝擊滿族皇權，還試圖與李鴻章聯絡，實行割據獨立。民元孫中山讓位給袁世凱，更使他陷入了欲鞏固民國實則斷送共和的矛盾境地。此後，反對軍閥成為首要任務，儘管他認識到南與北如一丘之貉，為了達到實現真共和的目的，不僅多次依賴南方軍閥反對北洋軍閥，還與北洋軍閥中的某些派系結成同盟關係，去反對另一更具直接威脅的派系，例如1920年以後的「孫段張三角反直同盟」。

4 《原敬關係文書》第2卷書翰篇2，第392-396頁。

5 《孫中山全集》第1卷，第173頁。

置身於政壇漩渦中的革命家，為了達到一定的政治目標，必須考慮在關係錯綜複雜的各種勢力之間爭取最大限度的支持和同情。這樣，作為政治理想的鼓動者和政治實踐的執行者，孫中山的姿態往往不一致，在不同的場合，對不同的對象，彷彿川劇表演的變臉譜，一會兒一付模樣。尤其是1900年的翻雲覆雨，時而堅主共和，時而允許帝制，時而與李鴻章合謀獨立，時而推容閎為眾望所歸的領袖，時而聲明「打算推翻北京政府」，時而又宣稱「不抱任何危險激烈的企圖，而是考慮始終採取溫和的手段和方法」，加上對英、日、法等國政府所作的種種允諾，令人大惑不解。其實這是幻想、不得已和策略措置兼而有之。如孫中山深知獨立之議「必為李（鴻章）所不容」，仍認為「是亦大旱之片雲也，唯作萬一之預想」。[6]若把孫中山說過的每一句話，做出的每一項允諾都看成他政治主張的直接表述，就很難解釋它們之間的相互牴觸了。

在一定前提下，投異己之所好，以爭取實現自身最終目的的必要條件，正是實用主義的重要體現。如對劉學詢，孫中山早已知其「夙抱帝王思想」，因而便以一頂皇冠為誘餌，希望能夠惑動其心，使之籌資百萬，「以便即行設法挽回大局，而再造中華也」。[7]馮自由說孫中山「用意無非欲得其資助鉅款，以達革命之目的而已」[8]，確係公允之見，而非曲意袒護之詞。孫中山諸如此類的舉動，沒有離開（或像有人認為的那樣，尚未踏上）共和革命的軌道，恰恰是為了在特定的情況下堅持行此道路。

當然，孫中山的民主共和理想，的確帶有空想色彩，他在繪製理

6 參見《離橫濱前的談話》、《與斯韋頓漢等的談話》、《與橫濱某君的談話》，均見《孫中山全集》第1卷，第188-198頁。

7 《致平山周函》，《孫中山全集》第1卷，第203頁。

8 馮自由：《革命逸史》第4集，第96頁。

想藍圖時，雖然考慮到中國的現實，有針對性地做了改動或調整，基本還是套用歐美的模式。況且，他長期賴以實現其理想的政治力量嚴重不足，他與民眾的關係比較間接，偏重於軍事路線，所依靠的各色群體不僅本身力量弱小，而且與舊勢力保持著千絲萬縷的聯繫，因此，孫中山常常不得不在舊勢力的圈子裏尋找暫時的同路人。他先後寄希望於李鴻章的割據獨立，袁世凱的信守約法以及南北軍閥的擁兵回應，在利用矛盾，聯合各種力量的同時，堅信民主共和是拯救中國的唯一良策，只要實現共和，任何問題都將迎刃而解。為達此目的，他不惜使用一切手段。然而，難以真正實現的共和藍圖不能始終如一地在實踐中制約策略的幅度和方向，權宜之計有時成了不受駕馭的脫韁之馬，反而使空想和實用的離心傾向急劇膨脹。沒有在策略運用時堅持政治宗旨的雄厚力量，正是造成孫中山策略指導思想流於實用主義，有別於靈活性的重要原因之一。

孫中山對待列強的態度，以更大跨度表現出其政治性格的兩重性特徵及其相互關係。他發動革命的目的，是要使中國擺脫列強的奴役，爭取民族獨立，把貧窮落後的中國改造成先進發達的近代化國家，說他根本沒有反帝思想甚至動機，邏輯上很難成立。何況對於帝國主義一定程度的認識，已為晚清以來一般進步知識分子所共有。不過，孫中山在解決這一問題時採取了迂迴戰略，他設計了一條繞過甚至通過列強實現民主共和，使國家富強，進而擺脫帝國主義控制的曲折道路。早在1897至1898年與宮崎寅藏筆談時，就基本確立了這一方針。他主張首先應避免歐洲聯盟對付中國，萬一不幸如此，則先分立各省為自主之國，「各請歐洲一國為保護，以散其盟；彼盟一散，我從而復合之」。「其法以廣東請英保護，廣西請法保護，福建請德保護，兩湖、四川、中原為獨立之國」，等到外部壓力減輕，「我可以優遊圖治。內治一定，則以一中華亦足以衡天下矣」。[9]孫中山將根本解決問題的基點放在民主共和的理想之上，只有設法避免列強干涉，才有實現的可能。而一旦實現，則列強皆無足懼。為此，無論付出多大代價，都應當在所不惜。而無論手段怎樣與信仰相牴觸，畢竟只是手段。

孫中山對其政治理想愈是篤信，其實用傾向的幅度也就愈大。1900年，為了取得日本政府的支持，他曾允諾代為平息臺灣閩粵人士的抗日活動。[10]在《致港督卜力書》中，又提出以各國總領事為顧問局員，關稅增改須先與列強妥議，路礦船政及工商各業均宜分沾利權等條件，以爭取英國的援助。在這種思想的主導下，革命黨人非但長期沒有正面提出反對帝國主義的口號，反而希望以承認不平等條約來換取列強對中國革命的默許。武昌起義後，南京臨時政府為了擺脫財政拮据的困境，千方百計尋求外國貸款，先後試圖以輪船招商局、江蘇省鐵路、漢冶萍公司以及長江和近海航行權為抵押，向日本借款，並與日本談判委託日方建立中央銀行，給予發行紙幣、免稅、辦理國庫收支、內外國債、改造貨幣、管理印花稅等項特權。[11]在此之前，孫中山還企圖以割讓或租借滿洲為條件，換取日方1500萬元的緊急貸款。特別是1915年孫中山同意以出讓重大權利與日本政府秘密簽約，以求得日方對革命黨反袁運動的支持，使其實用主義的離心傾向發展到極致，[12]政治性格的完整統一出現破裂的危險。

---

9 《與宮崎寅藏等筆談》，《孫中山全集》第1卷，第181-182頁。

10 明治33年9月28日福岡縣報高秘第1000號。

11 李廷江：《孫中山委託日本人建立中央銀行一事的考察》，《近代史研究》1985年第5期。

12 就筆者所見，關於中日密約的有爭議檔共四項：1、1914年5月11日致大隈重信函；2、1915年3月14日致日本外務省政務局長小池張造函及所附盟約案（共11條，與後來爭議極大的中日盟約的內容基本一致）；3、與犬養毅所訂協約20條；4、簽署的如果說孫中山在甲午戰爭炮聲方息，全國反日情緒猛漲之際敢於向日本政府求援的行動還能為國人所接受，那麼，1912年的抵押借款和1915年的中日密約就令人難以容忍。武昌起義的潛因之一，正是反對清政府抵押借款的賣國行徑，而1915年舉國上下都在強烈聲討竊國大盜袁世凱接受喪權辱國的「二十一條」。這使得孫中山與之所代表的社會群體以至於政治派別之間出現了嚴重分歧，就連漢冶萍公司合辦借款也激起國人的強烈反對，中日密約的披露於世，更引起中華革命黨內部的不安和混亂。立憲派的一些人未嘗沒有攪渾水的企圖，但他們不正是通過收回利權、反對鐵路國有等一系列反帝愛國運動逐漸

《日支攻守同盟約》15條（後兩項見《申報》1915年4月22、24日）。各件均以出讓權利來換取日本政府或民間勢力對中華革命黨反袁活動的支持。以程度論，協約20條最為嚴重，中日盟約次之，攻守同盟及致大隈重信函較為緩和。由於袁世凱藉此挑動輿論，企圖混淆視聽，為其賣國行徑開脫罪責，而日本政府又乘機要脅袁世凱全盤接受「二十一條」，當時報刊披露3、4兩項檔時，即有人表示懷疑。加上檔的字跡、圖章、簽名、遣詞等等，頗多可疑之處，使得事實真相更加撲朔迷離。臺灣學者對前兩項檔堅決否認，大陸方面則已將致大隈函收入《孫中山全集》，在《孫中山年譜》中概略提及致小池函。而對最早公諸於世的3、4兩項，中外史學界尚無明確意見。其中第3項內容荒謬絕倫，竟然規定中華革命黨成功後組織中日聯邦，尊日本天皇為皇帝；中華改民主為君主；尊孫文為中華國王；中國的軍事、外交均受日本管轄或指導等。據有關方面透露，此件袁世凱曾印發各地方政府，顯系製造口實。加之又沒有其它旁證，締約對象為在野的犬養毅而非日本政府，與其餘各件不符。吳相湘《孫逸仙先生傳》認為致小池張造函不可信，可是除了引述美國駐華公使芮恩施和黃興的懷疑外，其最主要的論據，是說寫於5月的致大隈函不應比寫於3月的致小池函所提供的特權大大減少。然而此點根本不成立，因為致小池函並非寫於1914年，而是10個月後的1915年3月。這些檔從提議到製作，很可能如彭澤周先生對致大隈函的分析，是出自日本某些半官方的侵華組織或個人，並非孫中山本人。但這不能排除它們曾得到孫中山默認或首肯的可能性。如1900年的致港督卜力書，也涉及出讓大量民族權益，同樣不是出自孫中山的手筆，而只是得到他的認可。有鑑於此，技術性鑑定不足以推倒文件本身。而且，1916年5月孫中山函告日本參謀本部參謀次長田中義一，他打算在山東建立兩個師團，並委託在上海的青木將軍電告日本政府設法提供武器（《孫中山全集》第3卷，第296頁）。如果沒有事先約定，這封信也難以解釋。

匯入革命洪流的嗎？何況他們本來就對共和制度將信將疑，不像孫中山那樣對尚未顯示現實優越性的未來社會美景無限歡欣，而更著重於眼前的既得利益。

還有許多人儘管同情和諒解革命黨的處境，認為一定限度的靈活是可以允許而且必要的，但同樣不滿於革命黨採取的因襲手段，認為：「借款可也，抵當借債可也，而襲滿清時代所謂中外合辦不可也」。他們沉痛地指出：「恢滿清已喪之國權，享世界平和之幸福，得與歐美列邦共立同等地位，此所以起義諸君唱之於前，而吾儕小民不惜捐項麋踵破產亡家和之於後者也。……滿清政府賣路礦權失民心矣，而我新政府何又蹈其故轍也。」[13]孫中山自己也知道其舉動將會引起怎樣的社會反響，他向章太炎訴苦說：「非弟不知權利之外溢，其不敢愛惜聲名，冒不韙為之者，猶之寒天解衣付質，療饑為患」。[14]

作為三民主義的創始人，孫中山對於政治信仰的理想化程度遠甚於一般人，因而其策略跨度更大。特別是在沒有外援其鬥爭事業必然功虧一簣的情況下，孫中山往往將策略的實用主義傾向發揮到極限，以圖絕境求生。可是，在政治鬥爭中，策略的抉擇與運用的成敗，取決於力量的對比。限制孫中山實用主義傾向的理想化信仰，作為一種意志，只是對他本人的政治性格起制約作用，而在現實鬥爭中，不能轉化為客觀力量，決定實行策略所產生的後果。得不到民眾的支持，政治理想必然流於空幻，策略變成了依賴，被利用的反而是孫中山自己。這樣一來，所運用的策略勢必違背民族的利益意願，導致孫中山與民眾的疏遠，甚至連他所代表的群體和政治集團也與之離異，結果演出了一幕又一幕受騙失敗的悲劇。

---

13 旅東同人寄：《上孫大總統書——為漢冶萍公司華日合辦喪權失利隱貽後患事》，《民立報》1912年3月19日。

14 《復章太炎函》，《孫中山全集》第2卷，第85頁。

孫中山長期以先知先覺自居，在對待人民群眾的態度上，又存在著「皇帝」與「太甲」的矛盾概念。他晚年受五四運動和十月革命的影響，加上蘇俄和中國共產黨的作用，政治上有較大的變動。他實行聯俄以及容共的政策，乃是因為向列強尋求贊助的一切努力均遭失敗，只有蘇俄仍然表示支持其反對軍閥和列強的鬥爭，促使其放棄對列強的寄望。他看到了喚起民眾的重要，宣佈扶助農工，取得了工農大眾的擁護和支持，其政治地位大為鞏固，實力陡增，可以正面向帝國主義和軍閥發起攻擊。孫中山不像國民黨內的某些人，僅僅是利用蘇俄和中共。過分誇大孫中山在這方面的權謀，多少已經超越學術的範圍。

不過，政治性格對於政治姿態有重要的影響力，政治性格的兩重性導致了政治姿態的多變性。在政治性格矛盾的作用下，孫中山所採取的每一項政治決策往往都包含著多種發展趨勢。從佯允帝制、主權相誘到聯俄容共的策略變化，無疑反映了孫中山政治態度的進步，但促成這一變化的性格因素又有著前後一貫的共性。即使聯俄容共，其性格離心傾向也存在向相反方面轉化的可能。這種同因異果的現象在自然界和人類社會比比皆是，不能依據結果的正確與否來判斷原因的異同。孫中山的政治主張試圖解決近代各國社會錯綜複雜的矛盾，而這些主張本身就體現了各種矛盾的錯綜複雜性。

孫中山對待中國共產黨的態度，在一定程度上反映了他對待民眾的態度。作為國民黨的政治領袖，他對中共當然不會無所顧忌。而民眾的每一步覺醒，都可能加強中共的政治影響力，使之成為國民黨政治上的強勁競爭對手。孫中山和國民黨可以依靠民眾的力量打擊列強和專制勢力，但又擔心民眾的崛起與中共的壯大水漲船高。同時，作為擁有號稱30萬黨員的國民黨領袖的孫中山，不會以完全平等的態度來處理與尚屬幼小的中共之間的黨際關係。他接受中共黨員個人加入國民黨，而始終不同意與中共對等合作，本身就具有內在的規定性，不僅顯示了他在這一問題上所達到的高度，也反映了他對此所保留的限度。因此，他在接納蘇俄的意見接受中共黨員的同時，也考慮了如何協調和維持國民黨內部各派力量的平衡，並從組織上、政治上確保國民黨的優勢地位。他曾向反對派聲明寧肯解散國民黨，個人加入共產黨，以表示自己堅定的決心，同時又自居於激進派與保守派之間的調和地位，只是客觀情勢迫使其在一段時期裡將主要精力集中在排除黨內反對接納中共黨員的阻力方面。而當中共對國民黨的批評及其在國民黨內的組織發展超越其限度時，孫中山就會及時地明確表態，防止事態進一步擴大。

不僅如此，孫中山在與蘇俄和中共接觸洽談的過程中，還試圖與德國、港英當局以及直奉軍閥聯繫，爭取他們的支持和援助。這些國共合作以外的種種嘗試，並不否定國共合作的必然性。孫中山一生適乎世界之潮流，合乎人群之需要的進步，包括晚年的變化，都是在探索中實現的。他的民族獨立和民主共和理想與列強、軍閥的利益尖銳對立，雙方不可能若即若離地長期共存下去。況且這些嘗試屬於依賴、合作還是利用，雖然很難分辨清楚，卻有著原則區別。最大限度地孤立和打擊主要之敵，不僅為策略原則所允許，而且恰好體現了靈活性的精髓，更何況實用主義還具有講究權術的特質。孫中山聯俄容共不等於從此斷絕了與列強的一切聯繫，以後雙方矛盾激化，主要是因為列強對孫中山採取了堅決敵視的態度，失去了迴旋的餘地。包括國共合作在內的一切尋求外援的努力，都不同程度地體現了孫中山為實現其政治理想而運用的策略原則，因而也含有變化反覆的潛因。

正因為孫中山堅持民主共和理想和務實策略，才會選擇聯俄容共的方針，使其策略與中國社會變化發展的規律相一致，得到與時俱進的讚譽。信仰的理想主義與策略的實用主義相輔相成，是促使孫中山選擇聯俄容共的主觀動因，也使其有別於國民黨內的其它人物。沒有理想化信仰的推動，他不會邁出這一步，沒有實用性策略的左右，則有可能根本轉變或根本不變。因此，孫中山實行容共，既是政治的進步，又是策略的選擇。在指出國共合作的歷史必然性的同時，要充分考慮到孫中山政治性格的複雜性和內在矛盾，不應誇大其個人的主動性，尤其不應拔高其動機的純正，只看政治進步的意義，忽略策略選擇的影響。

孫中山晚年接受蘇俄與中共的部分主張，對三民主義體系進行加工改造，作為民主革命的先行者，的確難能可貴。不過，國共合作的思想基礎是孫中山綱領的最高點和中共綱領的最低點的重合，孫中山在三民主義的基礎上吸收中共的部分主張形成其綱領的最高點，而中共最低綱領的理論基礎則堅持馬克思主義。孫中山只是政治態度的變化，思想理論體系並未改變。他宣佈「扶助農工」的政策，又主張「喚起民眾」，無疑是政治進步，但所謂「扶助」或「喚起」，仍是以救世主的姿態凌駕於民眾之上，沒有拋棄伊尹訓太甲的觀念。國民黨一大以後，孫中山向國民黨幹部全面系統地闡述三民主義，重新頒佈「建國大綱」和「建國方略」，目的即在於堅持和宣傳長期以來的理想和宗旨。在孫中山看來，俄國革命的成功，正是三民主義實現的範例，而革命黨改組的最大意義，就是以蘇俄為楷模，從組織上使國民黨真正走向健全和穩固，成為三民主義貫徹實施的有力依託。

可見，與孫中山的性格相吻合，其政治思想和政治決策都是相當複雜的矛盾集合體，彈性相當大。他吸收一些新的思想因素，使奄奄一息的舊機體恢復生機，這距離改變和更新舊體系相差甚遠。晚年的變化沒有改變孫中山的政治屬性，他仍然是一位民主革命家，實行容共政策所要達到的目的，仍是建立由鞏固的國民黨領導的民主共和的國家政權，以此為解決其它問題的支柱，對此孫中山至死不渝。他既不會因為意識形態和信仰的分歧而影響其尋求援助的政治決策，也不因政治決策的變化而徹底改變自己的信仰。

強烈的實用主義傾向使孫中山很少顧及策略與原則、政治決策與意識形態之間的關係是否合乎邏輯，而是更加注重實效。因時過境遷而產生的道德價值觀和心理上的差異與隔膜，令後人難以按照現行的觀念來理解孫中山的一言一行。孫中山歷盡千辛萬苦、千回百折之後最終走向聯俄容共，並在有生之年堅定地主張和維持合作關係，使其政治性格的軸心與中國社會發展的規律同步運動，沒有他的積極作用，聯俄容共難以順利實現。同樣，堅持自我主體，是孫中山接納中共的前提，很難設想他能夠容忍改變這一前提條件。而孫中山在世之日，具有超越各方勢力之上的地位、理念和策略，其它勢力也不大可能改變現狀。

二　兩重性的適度

孫中山政治性格的表現說明，任何歷史人物的性格都是複雜的組合體。英雄人物的所作所為絕非都那麼高大完美，可能甚至往往必然有許多並不光彩照人的言行。同樣，反面人物也不會一言一行都浸滿邪惡。複雜的歷史環境塑造了複雜的歷史人物，孫中山容忍帝制、出讓權益，與維新志士的武裝勤王、洋務官僚的愛國抗敵一樣，均不違背各自的本質，而且剛好從不同的側面反映了各自的本質。近代史上處於政治鬥爭漩渦中心的風雲人物，往往也就是那些置身於中外文化碰撞焦點的人。儘管他們分屬於不同的階級、階層或集團，政治傾向有別，卻又有著共同的特徵，與古代及現代歷史人物明顯區別開來。透過政治性格特徵，有助於認識近代社會政治舞臺上活躍著的人物群像。

有外國學人認為，為賢者諱的做法嚴重影響了海峽兩岸孫中山研究的學術價值。不能全面客觀地依據史實再現歷史人物的思想言行，學術研究就難以取得既是歷史的，又是永恆的成果。歌德說得好：「真理與謬誤出自同一來源，這是奇怪的但又是確實的。所以我們任何時候都不應該粗暴地對待謬誤，因為在這樣的同時，我們就是粗暴地對待真理。」文藝理論研究者提出，偶然性、個性不僅僅是必然性與共性的具體表現形態或演繹，事物的必然性表現為無限的可能性。但這種可能性並不是朝著同一邏輯方向運動，而是雙向逆反運動，只有這種雙向的可能性才是真正的偶然性。也就是說，必然性正是通過雙向可能性的矛盾運動才與偶然性構成一對辯證範疇。偶然性本身是二極的必然性，任何事物都是必然性規定下雙向可能性的統一。愈是接近純粹抽象的思想領域，其發展的偶然性愈多，曲線愈曲折。就個人而言，每個人的性格都是在性格核心規定下的兩種性格可能性的統一。一個現實形態的英雄，往往可能出現一種偶然的思想和行動，似乎背離他性格的常軌，特別是當一個人處於感情衝動之時，會做出用理智難以說明的行為。這既是偶然的，同時又是必然的，是必然性規定下的偶然性。這種性格雙向逆反運動的外部動力，在於環境的隨機性。[15]

再現歷史人物與刻畫文學形象可以互鑑，如果不拘泥於雙向逆反的機械，代以多向交叉的觀念，或許更有助於揭示人物性格及其表現的複雜性。由此看來，英雄或反面人物的異常言行，絕非微不足道的灰塵或尚未泯滅的良知那般偶然，而恰恰展現了人物性格的深層機制。孫中山政治性格的表現顯示，個性不是單向直線發展，從靜態剖面看，是多種複雜因素的有機組合，從動態過程看，則是雙向逆反甚

15 劉再復：《個性之迷與人物性格的雙向逆反運動》，《評論選刊》1985年第3期。

至多向交叉。因此，歷史人物的一貫言行，可以提供判斷其某一特定言行可能與否的參數，而不能構成確證。因為他完全可能有異常之舉，這種可能性同樣是必然的。階級屬性與政治動向，可以決定其代表人物的總方向，不能直接規定其一言一行。前者主要決定於社會的政治經濟關係，後者還受到生理、心理、文化素質等因人而異的殊境的極大影響。在具體問題上，後一類因素往往起著直接的決定作用。揭示歷史人物的階級屬性及其實質，固然是認識的深化，卻不可能為個性的豐富表現提供全部證明。僅僅把個性看成是階級性多樣化的表現形式，就會使個性簡單化、凝固化、模式化，成為階級性的演繹或注解。這與以抽象人性來抹殺階級性毫無二致，實際上否定了人物研究的意義。

個性的雙向逆反或多向交叉運動，存在有離開此一性格核心向彼一核心轉化，從而導致個性變異的可能性。不過，階級性相對於個性要穩定得多，個性的跳躍會突破階級的制約發生立場的轉移，階級性則只有隨著該階級或所有階級的消亡才會改變或消失。由於這種可能性的存在，圍繞性格軸心上下起伏的個性運動，其曲線往往與別一性格軸心運動的曲線交叉或部分重合，呈現出與本階級特性不符而與其它階級人物相似的狀態。不能因為特定歷史人物屬於一定的階級、階層或政治集團，就推論其不可能有與該階級、階層或政治集團相歧甚至相悖的言行，姑不論還有宗旨與策略之分。歷史人物與其所屬階級的分別，恰恰是以二者不相吻合而存在的。因此，研究歷史人物，不能僅以揭示其階級屬性為皈依。反之，也不能因為該人物的某些異常舉動，而將其與別一階級、階層或政治集團的人物相提並論，抹殺其本質區別。因為無論其舉動如何一反常態，也只是這一類人的異常，只有斷定其確已背離原來的性格核心，才能將其歸入另一類型。

環境決定人，在於規定其性格核心的性質與趨勢，而且表現為多層面的綜合作用，即一般不是直接決定人物的一言一行，只能確定其雙向逆反或多向交叉的運動軸線。人是有意識、能動的，社會環境對人的影響，必須接受過濾，內化為思想、心理、情感等，才能發生作用。因此人物性格在具體情況下的具體表現，不能簡單地直接從環境因素中尋求解釋。性格是環境的隨機性長期作用不斷積澱的結果，無論處於順質還是異質環境，人物性格都存在多向發展的可能性。必然性在此就表現為雙向或多向運動的普遍存在。所以，不能簡單地用因果關係來解釋個性表現與環境的相互聯繫，把人物的一言一行與政治經濟原因直接掛鉤，是階級性與個性想混淆的重要表現。

孫中山當然要受主宰人類普遍規律的支配，個性的雙向逆反或多向交叉運動在其政治性格的兩重性矛盾中得到充分的體現。同時，孫中山又是一個不同凡響的天才人物，其性格運動的幅度比一般人要大。他在創造性強迫意向的驅使下，形成一種緊迫感和使命感，使自己恒定地向著一個目標挺進。這種創造性的強迫意向開始是有意識、自覺產生的，一旦形成，就會由於心理慣性的作用，反過來控制主體，使之由強迫性意向進入強迫狀態，彷彿本體是在強迫性意向的驅使下從事原來自覺從事的活動，因而常常表現出如癡如狂的神情。[16]人們往往將天才認作瘋子狂人，歷史上幾乎每一位出類拔萃之輩甚至大奸大惡之徒都留給後人一連串不解之謎，根源恐怕均在於此。

孫中山40年如一日地嚮往和追求其政治目標，帶有強迫性意向的人生使命感在他身上表現得十分強烈。據說流亡日本時，「日本之有志家欲慰逸仙之旅情，將導之游廓吉原。彼拒之曰：『吾帶天命，後日將運轉東大陸之大政，故吾不欲踐如斯地也。』然彼實為非常之好

16 參見趙鑫珊：《處在「強迫狀態」中的科學家、藝術家或哲學家——精神病學和創造心理學》，《醫學與哲學》（大連）1984年第10期。

色家，嘗自言其生平所好，一曰革命，二曰婦人。」[17]有時他彷彿全身心都沉浸在對自己所描繪的未來社會藍圖的憧憬中，一旦進入強迫狀態，其言行易於出現失控逸軌的現象，實用主義傾向大幅度擺動。一些熟悉他的人也往往對他此時的言行舉止大惑不解，謝纘泰曾經聳人聽聞地記道：「孫念念不忘『革命』，而且有時全神貫注，以致一言一行都顯得奇奇怪怪！他早晚會發瘋的」。[18]

在強烈的人生使命感的驅使下對政治信仰的熾熱追求，以及由此產生的大跨度實用傾向，造成了孫中山與其所屬的政治集團其它人物的心理距離和差別，也加深了後來人對他重新認識的難度。人們無法按照固定的道德框架或理性規則來理順其言行中的自相矛盾，往往採取迴避或任意取捨的方式來對待那些逸出常軌的言論與事實，否則即以純客觀的態度將彼此矛盾的言行毫無聯繫地機械排列在一起，找不到主觀辯證與客觀辯證的聯繫。

孫中山政治性格的形成與其特殊經歷有關，他在政治思想方面受美國的影響較深，對實用主義的看法相當正面。同時，孫中山又屬於一個喜歡把未來理想化的民族。太平洋遙遙相望的兩大國度，文化心理有著重要差異，或鼓吹個性的充分發展，或以統一的標準來約束和規範個性。近代中西文化的激烈碰撞，使人們的心理天平發生劇烈震顫，受西方文化長期薰陶的孫中山，追求個性發展的欲望十分強烈，企圖突破與專制宗法制度相適應的傳統道德規範對人性的壓抑，有時為人行事無所顧忌。而傳統文化的中庸和諧，又對其個性的過度發展和人格分裂趨向起著抑制作用，這使其相當長的時期內在民主與專斷之間輾轉反側。孫中山對固有文化並非只是略知皮毛，其施展政治才

---

17 田野桔次：《最近支那革命運動》，第115頁。

18 謝纘泰著：《中華民國革命秘史》，《廣東文史資料・孫中山與辛亥革命史料專輯》，第287-288頁。

幹的舞臺，又建立在浸透了傳統文化的土壤之上，從主客觀兩方面考慮，孫中山都不會忽視傳統文化長期綿延的巨大而深刻的影響。

中西文化沖碰撞在許多近代人物身上留下深刻印記，將環境與人的衝突轉化為性格的內在矛盾，如西化與守成論者的思想主張和為人行事往往相反相對，典型如吳宓、陳寅恪與胡適、陳序經。孫中山與新文化派之間也有類似情形。早年與孫中山交往的日本人對他有如下觀感：

> 「彼行事之手段，其施諸支那者，終覺過於高尚。彼之所有思想也，理論也，政策也，交際也，又其生活舉動也，皆遙出於諸般支那人之上，故彼之舉動，往往不為流俗相容。吾嘗謂彼似法國青年，倘較日本人，則未免過於輕佻；較英國人，則革命之思想太過，故吾謂惟法國之青年似之。」[19]

其實他是中西文化相互碰撞產生出來的那一代中國人的佼佼者，兩種不同文化的特點在其性格里中西合璧，而兩種文化相互衝突的因素又使其在突破與壓抑的反覆較量中出現失衡。後來傅斯年對胡適說：

> 「孫中山有許多很腐敗的思想，比我們陳舊的多了。但他在安身立命處卻完全沒有中國傳統的壞習氣，完全是一個新人物。我們的思想新，信仰新，我們在思想方面完全是西洋化了，但在安身立命之處，我們仍舊是傳統的中國人。」[20]

這種貌似反常實則正常的現象在近代許多改革家、革命家甚至守

19 田野桔次：《最近支那革命運動》，第50頁。

20 《胡適日記》（手稿本），1929年4月27日。

成主義者身上不難找到，只是程度和形式有別而已。

近代以來，中國社會發展的自然進程被阻斷，政治、經濟、思想、文化受到外來先進模式的全面衝擊，而產生衝擊方式的卻是血腥的暴力，這令中國人普遍產生心理失衡，驅使他們朝著不同的方向進行新的探索，以求得新的平衡。如何對待中西文化碰撞以及由此產生的社會震動，是首當其衝的問題。由衝突所導致的兩種文化的融合，在被動回應的痛苦進程中逐漸帶上自覺探索的色彩。近代中國人的開眼看世界早在鴉片戰爭時期甚至此前即已開始，但直到戊戌變法，仍試圖以西方模式對傳統社會進行補充修繕，雖然實際上已經進入改造的階段。而孫中山是在對西方進行了全面深入的瞭解之後，再以傳統文化的色彩加以協調，使之適合國情。對待中外文化態度的這種細微而重要的變化區別，在孫中山以後的一些政治人物身上更加突出。激發孫中山之前及其同時代大多數人學習西方熱情的，是傳統的失落感和民族存亡的危機感，孫中山則更主要是自強進取的雄心和篤信不疑的信念。此外，兩種文化碰撞的時期，人們的道德標準、價值觀念和行為規範同樣變動不居，與此相應，政治鬥爭的策略界線更加不穩定，這種波動在不同人物的身上反應各異，使之對待同一問題的看法和行為千差萬別。

孫中山信仰的理想化程度愈高，其實用主義傾向的極限愈具彈性，通過某些與局部和暫時利益相歧甚至相反的策略來謀求整體和長遠的利益，往往造成他與所領導的革命黨在基本方向一致的前提下的諸多分歧。在民族獨立和民主共和的理想之下，其策略跨度竟大到向後允許帝制，出讓權益，向前聯俄容共。在極端情況下，孫中山政治性格兩重性的內在平衡關係是否被打破，從而發生質變？

顯然，孫中山的「失控」沒有從根本上破壞其政治性格的統一，而且正是通過這些極端表現突出其性格全貌和特徵。政治鬥爭中，原則的堅定性與策略的靈活性之間沒有固定不變的模式或界限，更不存在放之四海而皆準的尺度，這本來就不是一個理論問題。包括無產階級政黨在內，在政治鬥爭的非常時期，都曾採用過難以用原則來規定的極端手段。政壇角逐以勝負為準的，如果將原則堅持到連存身之地都喪失殆盡，還有什麼原則性可言？或以為妥協只有兩個極限，即百分之百和零，在一定條件下，二者之間的任何一點都有可能為雙方接受並且互利。因此，單單從策略的幅度考察，不存在靈活性和實用主義的區別，而人們用以權衡的價值觀念和道德標準又因時因地而異。孫中山的實用主義策略不會讓原則在政治鬥爭中成為束縛自己手腳的繩索，而其理想主義信仰又不會因實用策略的大幅度跳躍而改變。可以說，孫中山唯一的策略原則，就是不讓任何原則妨礙他為達到理想境界所做的一切努力。

孫中山的實用傾向儘管跨度很大，仍然與理想相統一，即使最為出格的中日密約，也沒有導致其政治性格分裂。近代史上不少民主革命家，包括激進的維新人士都認為，出讓部分權益以換取列強的支持，是行之有效的策略。他們對待列強的態度千差萬別，卻有一定程度的共性。的確，中日密約出讓的主權太多，有人說它比「二十一條」有過之無不及，有日本學者僅根據致大隈重信函就斷定孫中山的討袁運動不過是二者之間的權力鬥爭。可是孫中山與袁世凱畢竟不同：

其一，他們的動機目的截然相反，袁世凱接受「二十一條」，是想換取日本政府承認洪憲帝制，而孫中山則是為了得到外援進行維護民主共和的鬥爭。當然，動機不能代替客觀效果，但要判斷歷史人物的功過是非，動機無疑是應予考慮的重要因素。

其二，袁世凱一旦簽署「二十一條」，即具有法律效力，國家主權立即易手。而孫中山僅僅是一種承諾，只有在日本援助中國革命成功的前提下，才能談得上履行條約規定的義務。按照孫中山的觀念，革命成功之日，正是中國擺脫列強奴役之始，不能把並不具備法律效力的密約作為衡量孫中山行為的絕對尺度。值得注意的是，在孫中山幾次短暫掌權的時期，手中握有代表國家民族的法定權力，其行動就比較審慎，而當革命成功的其它條件尚不具備或已經失去時，其實用主義的幅度也會明顯收縮。他的實用主義膨脹之時，往往是革命處於成敗存亡之際，表明其策略的擺動幅度仍受理想化信仰的制約。這與那些犧牲國家民族權益以維護個人或小集團私利的賣國行徑，當然不可同日而語。

對客觀形勢的正確估計，是採取適當策略的前提條件，而主觀判斷是否與客觀形勢相吻合，又是衡量策略合理性的主要依據。在政治鬥爭的進行過程中，要透過錯綜複雜的矛盾現象，正確判斷瞬息萬變的形勢，並採取與之完全相符的靈活策略，極為困難。其難度之大，甚至當後來的研究者掌握了事實真相和全部細節之際，仍然不能形成統一的認識。戰爭中沒有常勝將軍，社會運動中沒有不犯錯誤的政治家，原因在此。考慮到當局者把握原則性、靈活性和客觀形勢之間關係的困難，某種失誤便不難理解。如果說孫中山對列強抱有一定的幻想，更主要的應是利用矛盾爭取各種力量以對付主要之敵的策略思想。孫中山選擇了一條依靠外援以爭取民族獨立和解放的道路，就不能不寄希望於或是企圖利用某一列強，為此，就不得不以權益為誘餌。既然把籌碼押在列強一方，他對形勢的分析估量和策略的運用與客觀實際就不易吻合，難免造成重大失誤。

可見，孫中山實用主義策略的主客觀效果不盡相同，主觀上，受理想化信仰的制約，保持著人格的統一，客觀上，缺乏制約的物質力量，不能堅持主觀設定的方向，甚至走向反面。因此，孫中山實用主義傾向的極端發展沒有改變其政治性格，不等於其具體的策略運用沒有失誤；反之，具體策略的錯誤不論多麼嚴重，仍不能從根本上改變孫中山的政治性格。孫中山不會因為一些污點的存在而失去其革命家、愛國者的光彩，沒有必要多此一舉地善意掩飾或曲意辯解。

人們常說蓋棺論定，事實上，歷史人物的死，只是其思想發展過程因生理原因而導致的意外中斷，而不是這一過程充分展開的終極與頂點，尤其是像孫中山這樣不拘一格的政治人物，直到晚年其思想仍處於大幅度的跳躍變化之中，其雙重的離心傾向預伏著性格分裂的潛在危險。孫中山在世之日，國民黨內的不同派別就從各自的立場出發，對他的思想和政治決策從不同側面加以理解和解釋。孫中山逝世後，這類各取所需的解釋使其思想與性格的內在矛盾演化為外部衝突，對立統一的孫中山形象被人為分解。

在失去了孫中山作為政治偉人超越各派勢力之上的權威地位後，戴季陶、汪精衛等人將孫中山思想的潛在消極趨向大幅度向右發展，離心力過度膨脹，從而脫離了原來相互制約的軌道。反觀孫中山，其難能可貴，在於能夠控制協調政治性格二重性的關係，在兩種傾向的超常發展中仍然把握住彼此的適度。同時，政策的改變與策略的抉擇之間同樣存在著既相互促進又相互制約的關係，一定時期策略的倚重，也會抑制其它策略方向的離心力。如果所倚重的策略與社會發展的需求不相吻合，其抑制作用會相互抵消，加大孫中山政治性格的異向趨勢。一旦與社會發展同步，就會震動其性格基礎，使之由異向轉為順向，在靈活性的合理範圍內，實用主義傾向逐漸淡化。堅持這種適度，其思想與性格的發展就會適乎世界之潮流，合乎人群之需要。相比於孫中山的堅定信仰和堅毅精神，探索中的失誤無論多麼重大，也顯得微不足道了。

孫中山的國際觀與亞洲觀

孫中山是19至20世紀之交中國革命的領袖，他所領導的革命，作為日趨高漲的亞洲乃至世界被壓迫民族解放運動的重要組成部分，具有代表和象徵意義。時代變化，個人閱歷和鬥爭需求，使孫中山具有超越前輩和同時代人更加廣闊的眼界。他把自己從事和領導的革命，與整個世界政局的變化以及亞洲各民族的解放事業聯繫起來，不僅使其思想和活動對亞洲民族解放運動產生了重大而深遠的影響，而且使中華民族的獨立與解放從此帶有直接的世界意義。對於孫中山與亞洲及世界的關係，國內外學術界分別從思想來源，與亞洲各國民族解放運動的相互作用和影響，以及與歐美、日本列強的關係等方面進行了廣泛的探討。在以孫中山本人的言行為依據的基礎上，將這幾方面結合起來進行綜合分析，探測孫中山的國際觀和亞洲觀在思想、策略等不同層面上的差異和特徵，可以對這些既相互區別又存在有機聯繫的問題做出總體把握和估價，更好地確定它們在孫中山整個戰略思想體系中的位置、作用和意義。

一　強國取向

孫中山59歲逝世於北京。半個多世紀裡，他經歷了動盪不寧、顛沛流離的鬥爭生涯。作為中國革命的領袖，除了生與死，他只有1878年以前的少兒時代、1911-1913年和1916-1925年相對穩定地生活於中國大陸。即使不計歷次旅途漂洋過海耗費的漫漫時光，他也有31年，即一半以上的生命在異國它鄉度過，包括至關重要的青少年教育期、革命思想形成期和三民主義理論成熟期。以地域分，亞洲21年零10個月（其中香港8年零9個月，澳門5個月，日本7年零10個月，南洋3年零10個月），美洲9年零1個月（其中檀香山7年，美國大陸近2年，加拿大3個月），歐洲1年零8個月（到過英、法、德、比等國）先後在14個國家和地區旅行、活動和生活過。這一經歷，對孫中山的思想、情感和行為產生了深刻影響。儘管其思想、性格的形成發展直接間接地與他對中國國情的感受瞭解以及傳統文化的浸染薰陶有著密切關係，畢竟只有晚年的變化才發生於本土大陸。

在世界局勢和時代變化的作用下，獨特的閱歷和教育背景，加上革命鬥爭的需要，使孫中山從一開始就具有一種超越國界的世界性眼光，主動把他所從事與領導的中國革命與整個亞洲乃至世界形勢的變動發展聯繫在一起，不僅從世界各國吸取精神和物質的養料，而且力圖使中國革命對亞洲和世界發展大勢發生積極影響。這種與亞洲及世界的相互作用關係表現在許多方面。

1923年孫中山論及其思想來源時說：「余之謀中國革命，其所持主義，有因襲吾國固有之思想者，有規撫歐洲之學說事蹟者，有吾所獨見而創獲者。」[1]所謂「因襲吾國固有之思想」，主要是指中國傳統文化中各種思想的影響。孫中山後來有復歸傳統的趨向，但絕非簡單還原，而是用新的價值觀進行重估和借鑑，附會多於因襲。「規撫歐洲之學說事蹟」，是一項專門課題，本文不能詳論。簡單說來，除少年發蒙外，孫中山所受的教育主要是歐式科學教育，他本人又喜歡博覽西書，涉獵極廣，如自然科學中的理工農醫、地質地理、天文水

1　《中國革命史》，《孫中山全集》第7卷，第60頁。

利、社會人文科學中的政治、經濟、歷史、哲學、軍事、文化，每一學科又包含不同時期、不同流派、不同人物的多種著作。從1918年7月26日致孫科函中，即可窺見孫中山對於西書廣求博覽的巨大熱情。

在孫中山的時代，歐美處於世界文明發展的前列，尋求先進思想的中國人自然會把目光投向西方。對孫中山的思想產生不同程度影響的西方學說在他的言論著述中隨處可見，較重要的就有啟蒙思想家的民權自由觀，達爾文的進化論，亨利・喬治的單稅論，各種社會主義流派，無政府主義思想等。同時他還利用每次親歷歐美的機會，在緊張的革命活動之餘，對西方社會的各個方面進行實地考察，舉凡政治制度、司法審判、稅收財政、交通郵政、工礦企業、社會組織、福利衛生、出版教育、風俗民情、勞資關係等，無一不在關注之列。即以民主制度而言，就論及過英國的君主立憲制，美國的雙重分權制和瑞士的直接民權制等三種主要形式。除中國文化外，孫中山似乎只對居於世界前列的西方文化有著濃厚的興趣。至於落後或是接近本位文化的其它文化系統，如印度和阿拉伯文化，對中國的許多思想家有著相當深廣的影響，而在孫中山的身上，卻很少留下衝擊的痕跡。

所謂「吾所獨見而創獲者」，則是在西方近代意識主導下，通過對西方、中國和亞洲其它國家社會現實的具體考察比較，特別是針對中國國情提出的某些構想，企圖在引進西方先進制度的同時消除其弊端。孫中山絕不盲目崇拜西方文明，他一方面深切體察到西方社會的嚴重痼疾，另一方面懂得國情不同，制度有異，不可簡單模仿照搬。這是他與全盤西化論乃至世界主義者的重要區別。然而，孫中山依據國情所做的調整改造，顯然只是一種增補損益的工作，很少帶根本性的變更（如五權憲法）。可以說，孫中山的思想來源雖然有三，價值取向仍然以歐美近代觀念為主導。

作為政治家，如何在中國實現民主革命與變革，是孫中山畢生為之奮鬥的頭等大事。為達此目的，不僅要創造出必要的內部條件，而且需要適宜的國際環境，廣泛爭取外部同情與支持。孫中山從開始革命生涯之日起，就清醒地認識到，中國處於「強鄰環列」，「瓜分豆剖」的危局之中，是列強共同爭奪的對象，反對君主專制的革命只有在有效地防止列強干涉的情況下才能順利進行。因此，他利用一切可能之機，積極爭取世界各國對中國革命的支持援助，千方百計避免列強直接插手中國事務或扶植中國的惡勢力。在他看來，尋求支持與防止干涉是相互聯繫的。

由於孫中山長期活動於海外，革命黨人又採取速戰速決的城市起義戰略，因而相對於一般政治上道義上的同情聲援，強國的政治承諾和物質援助有著更大的吸引力。孫中山最早設想的策略有二：一、利用列強之間的利害衝突使之相互交叉牽制，防止各國聯合對中國進行侵略瓜分。二、重點爭取一兩個實力強勁的大國給予支持援助，以便有效地影響其它國家的態度和決策。後一方略實際上成為主導性選擇。按照孫中山自己的說法：「以言破壞之際，得世界一強國為助，則戰禍不致延長，內免巨大之犧牲，對外亦無種種之困難。」[2]

日本是東方唯一躋身於列強的國家，又是中國一衣帶水的近鄰，英國則是老牌頭號強國，在世界和遠東的地位舉足輕重，兩國的態度、政策，對於中國局勢的變化至關重要，孫中山本人與之關係密切。在晚年聯俄反帝之前，孫中山十分注重爭取英、日的支持援助，早在1897年與宮崎寅藏筆談時，就表示過「暗結日、英兩國為後勁」，以對抗瓜分，乘機發動革命的願望。此後，日本一直是孫中山爭取外援的重點對象。辛亥革命前後，特別是臨時政府期間，孫中山始終密切關注著日本的立場和態度。後來他多次表示，革命爆發時列

2 《致大隈重信函》，《孫中山全集》第3卷，第84頁。

強未直接插手干涉，「實因有日本為後援，其助力甚多。」[3]「東亞和平之局，實為日本帝國所支持。」甚至於他本人之所以「斷然從事革命者，實依賴日本之強兵於信義也。」[4]

當然，這些後來在特定場合對日本人士所講的話多少有些示好的故作姿態，不能直接反映辛亥之際的實際情形和孫中山的主觀態度。由於日本當局有支持清政府的意向，孫中山歸國前還一再與英、法等國人士頻繁接觸，試圖向日本施加壓力。只是對象的變更沒有改變孫中山行動策略上的強國中心取向。武昌起義爆發後孫中山之所以不急於歸國，正是因為考慮到與中國關係最密切的列強態度不一，「吾之外交關鍵，可以舉足輕重為我成敗存亡所繫者，厥為英國。倘英國右我，則日本不能為患矣」。[5]從倫敦被難直到1923年，孫中山爭取英國支持的努力屢試屢敗，卻始終不肯放棄。

除英、日外，孫中山還力爭得到法、美、德的支持。1900年至1908年，孫中山通過各種管道與法國當局進行過多次接觸，未能取得實效。直到1911年，他仍然希望法國、美國能夠率先承認中國新生的共和政權，打破外交僵局，以便向民眾證明革命的正義性。早在1895年，孫中山就設法結識了德國駐香港領事克納普。1917至1918和1921年間，孫中山兩度派遣密使與德國接洽，試圖建立俄——德——中三角同盟。[6]

隨著美國國力的增長和勢力擴張，孫中山十分注重與美國朝野各種政治勢力建立和保持形式多樣的廣泛聯繫。他把列強的承認和援助視為鬥爭成敗的關鍵，自然也將成功的希望寄託於這方面。孫中山晚

---

3 《在日本東亞同文會歡迎會的演說》，《孫中山全集》第3卷，第14頁。

4 《在大阪歡迎會的演說》，《孫中山全集》第3卷，第42頁。

5 《孫中山選集》上，北京，人民出版社1956年版，第184頁。

6 韋慕廷著，楊慎之譯：《孫中山——壯志未酬的愛國者》，第103-104、117-119頁。

年轉向聯俄，思想上長期存在的社會主義傾向和內外形勢的逼迫當然是重要的促成因素，而強國中心取向仍然起著一定的作用。1922年孫中山與香港《電信報》記者談話時表示：在當前「中國近代化的當中，中國很需要能對他平等待遇和承認他有完全統治權的強國的幫助。」[7]1924年在與菲律賓勞動界代表談話時再度表示：「弱國未有不遭強國侵陵之險者，苟無一強國擁衛君等，則君等必恒在他強國之侵略中。」[8]

誠然，孫中山的國際觀在策略上的強國取向，並非一味以列強政府的好惡為轉移，相反，他對於統治階級的在朝在野各派、政府與民眾、以及各種反對力量有著明確的區分，認識到他們之間態度的差異甚至對立。他不僅廣為結交列強各國的民間志士、在野政治家和各界人士，不斷向歐美各國人民發出呼籲，而且主動與第二國際聯絡，要求加入組織。這既是為了爭取直接支持和聲援，影響國際輿論動向，也以此間接向列強政府施加壓力，迫使他們在中國革命進程中保持有利於局勢發展的姿態。

孫中山對歐美人民的呼籲與期望，沒有改變其國際觀的強國中心趨向，他幾乎從未有過積極主動地向被壓迫的弱小民族國家發出類似呼籲的舉動，也沒有把爭取弱小民族的聲援支持作為實現中國革命的戰略方針。將這種情形與他對歐美列強的活動做一質和量的全面對比，反差更加強烈鮮明。孫中山不僅每次親臨歐美各國時主動與朝野各方廣泛接觸，在日本和南洋期間，也始終不放過任何能夠與列強牽線搭橋的機會。與法國的聯繫便是典型例證。甚至當他在中國大陸緊

---

7 廣東省哲學社會科學研究所歷史研究室、中國社會科學院近代史研究所中華民國史研究室、中山大學歷史系合編：《孫中山年譜》，北京，中華書局1980年版，第300頁。

8 《與菲律賓勞動界代表的談話》，《孫中山全集》第10卷，第324頁。

張地從事各種活動時，這仍是他的要務之一，通過在華外交機構、各種來華人員、通信或派遣密使，多方尋求聯繫。

孫中山晚年受蘇俄革命的影響，公開提出反帝口號，不斷談到被壓迫民族的問題，但其重心在於：1.「聯合世界上以平等待我之民族」，這著重是指蘇俄這樣改變了侵略殖民政策的強國。他不斷呼籲歐美列強向俄、德兩國學習，放棄敵視中國的態度，認為只有列強平等對待被壓迫民族，才能實現世界和平。從單純策略性選擇到增強政治性選擇，是不改變強國中心導向的政治進步。這使孫中山在爭取強國援助時從單純策略考慮轉向以政治選擇為主導。2.「濟弱扶傾」，即以能夠平等對待被壓迫民族的強國為核心，首先幫助被壓迫民族中具有重大影響的若干大國實現民族解放，進而扶助多數弱小民族爭取獨立，擺脫殖民統治。應當承認，這與主張一切被壓迫民族平等聯合進行反帝鬥爭，還存在顯而易見的差距。[9]

策略性的強國中心取向，絕不意味著孫中山不具備反帝思想。爭取本民族和支持其它一切被壓迫民族的獨立與解放，是孫中山革命思想與活動的一個基本出發點。即使早期沒有公開提出反帝口號，這一宗旨也是確定無疑的，問題在於怎樣實現這一目標。要把理想變為現實，孫中山不能不受國內外環境和自身條件的制約。被壓迫民族的解放鬥爭從19世紀中葉以來一直持續不斷，20世紀初再度掀起高潮，由孤立分散的反抗向著相互呼應的獨立解放運動發展，出現聯合趨勢。但直到第二次世界大戰後，隨著第三世界力量的增長，弱小民族才逐漸結合成舉足輕重的國際政治勢力。蘇俄十月革命的勝利加快了這一

9 何香凝在《對中山先生的片段回憶》（尚明軒、王學莊、陳崧編：《孫中山生平事業追憶錄》，第47-48頁）中說：孫中山遺囑原為「聯合世界上被壓迫民族共同奮鬥」，後在汪精衛等人的勸說下改為「聯合世界上以平等待我之民族」。此事未得到其它證據。

發展進程，把被壓迫民族解放運動引入社會主義革命戰線。由於客觀上蘇俄的軸心作用和民族解放運動的從屬地位，列寧關於民族解放運動的理論在共產國際的實踐中逐漸演變成蘇聯中心主義，弱小民族未能充分顯示和享有獨立性。

孫中山無法超越歷史，而且國際政治雖應以民族平等為原則，不等於一切國家在世界政局中具有同等的重要性，任何政治家都不會無視其間的差異並加以利用，作為決策的重要依據。此外，儘管孫中山不否認民心向背對革命成敗的決定性影響，重視民眾的作用，提倡全民政治，晚年更十分強調喚醒民眾的重要意義，他在政治上還是始終堅持精英主義路線，即依靠精英分子去影響和引導民眾。他講「扶助農工」，是要以一個由先知先覺者組成的政黨自上而下地實施領導。在他看來，工農群眾的力量是潛在和被動的，而「扶助」其實是強者對弱者的責任和義務。其對外政策中的「濟弱扶傾」，顯然是這種態度的繼續和延伸。

綜上所述，孫中山國際觀的強國中心取向主要表現在三個層面：1. 思想上以發達國家的先進理論觀念和實踐經驗為導向。2. 策略上以爭取列強政府不干涉乃至承認和支持中國革命為重心。3. 行動上以尋求列強朝野各方的物質援助為重點。這種強國中心取向包含兩個根本目的，其一，為中國革命的勝利提供最大限度的便利；其二，有助於世界上一切民族的獨立與解放。因此，孫中山始終堅持兩條原則，第一，利用強權來打破強權，一切行動的最終目的，必須是促使所有民族擺脫奴役與壓迫，建立各民族平等自治的大同世界。他爭取大國的援助，而反對大國對弱小民族的侵略政策和殖民統治。第二，支持被壓迫民族的反帝鬥爭，即使這些鬥爭的對象是他正在爭取援助的大國也在所不惜。

隨著時間的推移，民族解放運動日漸高漲，被壓迫民族的地位與作用不斷加強，蘇俄與共產國際關於民族解放運動的理論與策略逐漸調整，對孫中山也產生了積極的影響，使他的思想發生變化。他說：第一次世界大戰後，「世界大勢已為之一變」，「發生一種新世界勢力也」，「即受屈部分之人類咸得大覺悟，群起而抵抗強權。」被壓迫民族「以亞洲為最多，故亞洲民族亦感此世界潮流，將必起而抵抗歐洲強權也」。[10]受此激勵和感召，孫中山不僅提出「外以謀世界民族之平等」[11]的一般性原則，而且表示出聯合各被壓迫民族以對抗列強的意向。他在1924年的三民主義演講中說：「我們要能夠抵抗強權，就要我們四萬萬人和十二萬萬五千萬人聯合起來，……把各弱小民族都聯合起來，共同去打破二萬萬五千萬人，共同用公理去打破強權」[12]。除了對占被壓迫民族人口大多數的亞洲各國人民的鬥爭予以特別關注外，孫中山還注意到非洲和拉丁美洲民族解放運動興起的趨勢，在其言論著述中先後提到摩洛哥的反法鬥爭，埃及的抗英運動以及拉美一些國家的獨立運動。不過，在策略抉擇上，孫中山始終沒有放棄強國中心取向。分析和比較一下他的亞洲觀，這種傾斜更加明顯。

二　本位中心

孫中山的強國中心取向在亞洲觀方面有著進一步的體現。

中國是亞洲的大國，而亞洲是世界上被壓迫民族人數最多的地區，亞洲各民族的獨立解放是孫中山進行革命的總體目標。日本是亞洲的頭號強國，孫中山始終十分重視與日本朝野上下各派政治勢力的關係，力爭得到道義和物質的支持援助。這兩個因素決定其亞洲觀在

10 《致犬養毅書》，《孫中山全集》第8卷，第402頁。

11 《中國國民黨宣言》，上海《民國日報》1923年1月1日。

12 《三民主義》，《孫中山全集》第9卷，第220頁。

策略上有著以東亞為中心的傾向。

早在1895年，當中日戰爭硝煙未盡時，孫中山為了發動廣州起義，就曾向日本駐香港領事尋求援助。1897年與宮崎寅藏結識後，對其「第一著在中東提攜」的興亞之策產生強烈共鳴[13]。晚年實行聯俄反帝政策，仍未放棄對亞細亞主義的期望。亞細亞主義的核心在於由中日兩國合力組建亞洲大同盟，以對抗歐洲列強對亞洲的侵略。孫中山認為：「日本為亞細亞最強之國，中國為東方最大之國，使此兩國能互為提攜，則不獨東洋之和平，即世界之和平，亦容易維持」[14]。與美國的門羅主義和日本的大亞洲主義不同，孫中山亞洲觀的東亞中心取向，是以中、日這一大一強兩個國家共同為軸心和基礎，而不是由已經躋身於列強，有著強烈稱霸野心的帝國主義國家單獨主持。在孫中山看來，日本雖強，「但單隻日本一國，亦絕不能終久維持東亞之大勢」[15]。

孫中山選擇日本作為實現亞細亞主義的盟友，原因甚多。第一，日本是亞洲唯一走上富強之路的國家。第二，明治維新的成功，激發了亞洲各民族的獨立解放運動。「日本廢除不平等條約的那一天，就是我們全亞洲民族復興的一天」，「就是亞洲復興的起點」。特別是日俄戰後，亞洲不能抵抗歐洲，東方不能戰勝西方的神話被打破，「亞洲全部的民族便驚天喜地，發生一個極大的希望」。[16]第三，日本與中國是一衣帶水的鄰邦，又有著悠久的歷史文化聯繫。第四，儘管日本政府對孫中山時冷時熱，朝野各方在交往中又懷抱不同目的，承諾多

13 《與宮崎寅藏等筆談》，《孫中山全集》第1卷，第183頁。

14 《在日本東亞同文會歡迎會的演說・附二：同題異文》，《孫中山全集》第3卷，第16頁。

15 《在日本東亞同文會歡迎會的演說》，《孫中山全集》第3卷，第14頁。

16 《對神戶商業會議所等團體的演說》，《孫中山全集》第11卷，第402頁。

兌現少，條件多實惠少，孫中山畢竟從日本得到過不少便利和支持，這對被迫流亡海外，備嘗艱辛，四處碰壁的孫中山當然會留下深刻印象。他多次稱日本為「第二故鄉」，有意表示親近之外，多少有些真情流露。

進一步深入體察孫中山的用意，不難看出，在中日同盟的亞細亞主義背後，實際上隱藏著中國中心的意向。爭取日本援助的最主要目的，在於首先奪取中國革命的勝利。孫中山始終把中華民族的獨立與解放視為首要任務，其國際觀與亞洲觀均環繞這一基點形成和變動。1897年他與宮崎寅藏論述了離間列強同盟，俾我「優遊以圖治」的策略後說：「內治一定，則以一中華亦足以衡天下矣。」在孫中山看來，「為支那蒼生，為亞洲黃種，為世界人道」，既顯示政治的原則性，又包含策略的階段性。

孫中山論及民族主義與世界主義的關係時曾經表示，被壓迫民族首先應實行民族主義，取得獨立後，才能談得上世界主義。他批評五四後的新青年主張新文化，反對民族主義，提倡世界主義，認為世界主義是列強為了保持其世界霸主的特殊地位，扼制被壓迫民族的自覺，故意煽惑輿論，混淆視聽。世界主義雖然從理論上講不能說不好，卻「不是受屈民族所應該講的。我們受屈民族，必先要把我們民族自由平等的地位恢復起來之後，才配得來講世界主義。」也就是說，首先自己聯合，然後推己及人，再把弱小民族都聯合起來，共同用公理打破強權，到了世界上沒有野心家時，便可以講世界主義。[17] 像中國這樣的大國尤其如此。

孫中山一生中反覆強調，一個獨立富強的中國在亞洲乃至國際事務中將起著舉足輕重的作用。因此，「欲以救支那四萬萬蒼生，雪亞

17 《三民主義．民族主義》，《孫中山全集》第9卷，第216-226頁。

東黃種之屈辱，恢復宇內人道」，「惟有成就我國之革命」。「此事成，其餘之問題即迎刃而解矣」。甚至認為，中國革命一旦成功，「則安南、緬甸、尼泊爾、不丹等國，必仍願歸附為中國屏藩，而印度、阿富汗、亞剌伯、巫來由等民族，必步支那之後塵離歐而獨立。」「是故支那之革命，實為歐洲帝國主義宣佈死刑之先聲也」。[18]所以1924年孫中山在覆電蘇聯代表加拉罕時說：「夫以積弱而分裂之中國，而自然之富甲於天下，實為亞洲之巴爾幹，十年之內，或以此故而肇啟世界之紛爭。故為保障亞洲及世界之平和計，其最善及唯一之方，惟有速圖中國之統一及解放」。[19]

孫中山亞洲觀的中國中心思想和他將中國傳統的王道精神與現代國際政治觀念相聯繫有著密切關係，他以此反對歐美列強的霸道強權政治以及日本步其後塵的惡劣行徑。這可以說是孫中山強國中心取向與帝國主義的根本區別之一。他在大亞洲主義演講中，突出強調注重功利強權的霸道文化與提倡仁義道德的王道文化的分別，主張用後者作為大亞洲主義的基礎，一方面弱小民族用武力反對殖民統治，爭取和捍衛獨立主權，一方面強國應「由正義公理來感化人」，反對「用洋槍大炮來壓迫人」。

孫中山對日本政府追隨歐洲列強推行霸道政策，一直予以尖銳的批評，強烈反對日本對朝鮮和中國的侵略擴張。他向日本人民呼籲王道精神，旨在譴責日本政府的霸道行徑。孫中山認為，日本學習西方科學功利文化，在物質文明方面取得了成功，卻偏離東方精神文明的軌道，與歐洲列強一樣，道德日漸失落。他主張在東方道德文化的基礎上學習西方文明，認為這樣就可以避免一個民族在走上獨立富強之

18 《致犬養毅書》，《孫中山全集》第8卷，第404頁。
19 《孫中山全集》第9卷，第130頁。

路的同時滑向強權霸道的邪途。日本文化雖與中國同源，卻不能堅持王道精神，在思想、外交、經濟上「莫不追隨歐美」，實際上「陷於歐美禍」。[20]

因此，在孫中山的心目中，只有獨立富強的中國才能堅持東方文化的主旨正道，而日本只是在中國依舊貧弱日本已經富強的情況下作為東亞軸心的夥伴，與日本結盟的意義主要在於幫助中國革命成功，富強而無道的日本不可能勝任亞洲大同盟的盟主職責，廣泛履行濟弱扶傾的義務，這樣的角色只能由獨立後的中國來扮演。孫中山多次引述中國歷史上鼎盛時期與周邊弱小民族國家的關係，特別是近代中國衰落後尼泊爾、暹羅和南洋一些國家依然保持對中國的向心傾向的事例。據他說，亞洲僅有的兩個獨立國家之一的暹羅，其外交次長在辛亥革命前還表示「情願歸回中國，做中國的一行省」[21]。由此孫中山認為，建立在王道感化基礎上的上邦與藩屬間的相互接受，優越於近代國際政治秩序中壓迫與屈從的關係。

孫中山對古代中國與邊鄰關係的認識或許過於理想化，他反對國際強權政治，而不否認大國與小國間由於歷史淵源形成的某些特殊關係，在提倡民族平等原則的同時，仍然把王道式的大國中心主義視為理想模式。對於孫中山，大國的獨立解放本身就包含著對鄰近弱小國家承擔保護和扶助的義務，特別是對那些有著歷史文化聯繫紐帶的國家與民族。這種想法不無積極意義，不能因為日本帝國主義者後來加以利用就與之混同，後者的「王道」觀實際上是為侵略擴張製造藉口和對殖民地人民施行精神統治術。不過，這種大國中心仍是以不平等為前提，只能在雙方利益相對協調時維持平和。一旦發生衝突，仍須

20 《與日本某訪員的談話》，《孫中山全集》第11卷，第466頁。
21 《三民主義》，《孫中山全集》第9卷，第228頁。

依據實力來解決分歧，迫使弱小一方服從強大一方，這與民族平等自決的原則是不相吻合的。既要看到中國傳統處理大國與小國關係的觀念準則，與近代西方列強的做法確有不同，又不應將它與近代國際主義相混淆。在近代變化了的國際秩序中，孫中山以中國為重心的大亞洲主義，主觀願望與客觀效果不可能完全統一起來。

亞洲觀以中國為重心，使孫中山的政治取向朝著被壓迫民族一方傾斜，面對普遍貧弱的落後國家和民族，強國中心演變為大國中心。也就是說，在一切國家中，孫中山策略上首先考慮強國，而在被壓迫民族中，則優先考慮大國。具體表現為：

其一，孫中山一直試圖建立亞洲大同盟，作為這一同盟的軸心，除中國和日本外，他至少還考慮過印度和土耳其。1911年孫中山在溫哥華會見日本記者時談到建立亞洲同盟的主張，強調要「喚醒亞洲各國，尤其是中國和印度」[22]，到晚年又提出「受屈人民當聯合受屈人民以排橫暴者」，特別指出：「在亞洲則印度、支那為受屈者之中堅」，而視日本為受屈者或敵或友的未知數，[23]宣稱如果列強繼續進行侵略壓迫，「中國可能與俄國和印度聯合以對抗西方列強」[24]。促成孫中山這一主張的顯然有政治態度變化的因素，但一個重要原因是他認為決定戰爭勝負的關鍵是人力而非機械，亞洲擁有9億人口，其中印度與中國合計即達7億5千萬，大大超過列強的總和。

土耳其自20世紀初以來不斷發生革命，第一次世界大戰後獲得獨立。作為西亞的大國，土耳其的鬥爭始終吸引著孫中山的注意力，並多少改變了他的東亞中心偏向，開始平衡地考慮東西亞的地位。他在大亞洲主義演講中說：「現在亞洲只有兩個頂大的獨立國家，東邊是

---

22 《孫中山年譜》，第115頁。

23 《致犬養毅書》，《孫中山全集》第8卷，第403頁。

24 《與〈告知報〉記者代表的談話》，《孫中山全集》第11卷，第428頁。

日本，西邊是土耳其。日本和土耳其，就是亞洲東西兩個大屏障」[25]。

其二，孫中山對亞洲其它國家的民族解放運動的態度與反應。孫中山雖然關注西亞、中亞和南亞局勢的變化發展，但除印度外，具體聯繫較少，[26]其足跡也未到過上述地區。他與這些地區的國家和民族的關係，主要是通過各自的革命活動產生的客觀影響相互發生作用。與孫中山關係最緊密的是東亞和南洋各國，其中除日本外，與其它國家的關係至少戰略上只起到輔助作用。

南洋是同盟會時期孫中山活動的重要地區，除荷屬殖民地拒絕其入境外，孫中山的足跡幾乎踏遍了每一個國家，前後歷時將近4年。按照胡漢民的說法：「南洋是孫先生足跡所遍的最熟悉的地方」[27]。可是，綜觀孫中山的活動，不難看出他的目標集中在發動華僑支持中國革命，而不是聯合這些國家的志士共同從事區域性的反帝反殖鬥爭。除1907年在河內曾與越南愛國志士所辦東京義塾成員有過交往外，孫中山在南洋各國活動時幾乎沒有採取過主動姿態，與所在國華僑以外的民間愛國人士進行交往。相反，倒是多次試圖與各地的殖民當局接觸，以便與其歐洲宗主國取得聯繫。孫中山對這些國家的影響主要體現在：1. 中國革命將孫中山的思想與事蹟傳播給上述國家，引起震動和反響。2. 華僑的覺醒一方面支持了中國革命，另一方面，大量革命組織和宣傳機構在僑居地出現，也啟迪了當地民眾的民族意識，其中包括孫中山不能親履其地的荷屬殖民地，如印尼。所以後人回憶道：孫中山的民主革命思想和運動，「間接吸引了酣睡三百年的印尼民族，刺激了印尼青年心坎中的獨立理想。」「至今六十歲上下的印尼人中，反殖民主義的傑出者，就是從那時候起的十年間產生起來

25 《對神戶商業會議所等團體的演說》，《孫中山全集》第11卷，第408頁。
26 參見段雲章：《放眼世界的孫中山》，廣州，中山大學出版社1996年版，第234-304頁。
27 馮自由：《革命逸史》第5集，第186頁。

的」。[28]華僑的雙重身份使之覺醒後不僅成為中國革命的重要力量，也成為所在國民族解放運動的動力。儘管這方面的作用比較間接，南洋華人中民族主義情緒較強烈的部分往往不能認同所在國的政治和文化。[29]

孫中山不僅給予亞洲其它國家的民族解放運動以道義上的支持與同情，也採取過實際援助行動。據彭西回憶，1899-1900年孫中山在日本時，就對亞洲各國的民族解放事業極為關注。「在孫逸仙看來，遠東各國所導成的許多問題，彼此牽連，必須對整個問題作一般性的研究，才能對每一特殊問題有所瞭解，從許多共同之點，才能把各國的問題連串起來。但是這些國家需要增進對彼此的瞭解，在彼此瞭解的國家中，易於建立友善的關係。因此，孫氏是最熱烈說明各國學生在東京組織的東亞青年協會的人士之一。這個協會包括朝鮮人、中國人，日本人、印度人、暹羅人及菲律賓人，擁有相當人數的會員，獲得日本政界重要人士的支持。」他多次對東亞各國青年說：「讓我們進一步地相互瞭解，我們彼此當必進一步地相愛。」

不僅熱情宣導，而且身體力行，「孫逸仙對於有關遠東的所有問題，表示真正的關切，他加以研究，幫助有關方面謀求解決辦法」。特別是對成為時局熱點的菲律賓和朝鮮問題更為關注。他研究菲律賓思想先驅黎薩和戴壁萊等人的歷史和品格，密切注視菲律賓各種事件的過程與發展動向，關心朝鮮的民族解放運動，多次表示支持朝鮮獨立。他與彭西、潘佩珠等人的交往以及對菲、越兩國獨立運動的支持已為國內外學人反覆論道。

此外，他在日本期間還與流亡的朝鮮開化黨成員樸泳孝、安駉

28 陸澄清：《我難忘的中山先生革命事蹟》，《孫中山生平事業追憶錄》，第104頁。
29 參見王賡武：《東南亞與華人》中的有關論文，北京，友誼出版公司1987年版。

壽、俞吉清等人有過密切交往，「成為這些朝鮮移民的謹慎、忠誠及正直的顧問」。[30]據日本外交史料記，從1900-1902年間，孫中山多次到長崎樸泳孝的寓所拜訪，瞭解其所辦朝日新塾的教學情況。[31]1900年安駉壽因不堪忍受流亡痛苦和思念故國之情的煎熬，冒險歸國，「對他影響力量很大」的孫中山極力勸阻，亦未奏效。後來安氏果然被當局施以酷刑後絞殺。[32]

孫中山直接支持援助菲、朝、越等國的鬥爭，表現了他對亞洲民族解放運動的態度，不過這畢竟是東亞眾多弱小國家中，孫中山有著與華僑以外的本土愛國志士聯繫較多的幾個例外。主觀上孫中山堅持大國中心取向，客觀上則專注於中國革命，無力分心旁顧。而且，孫中山的援助行動也是其東亞戰略思想的組成部分。首先，他對菲、越兩國鬥爭的支持並非主動提出，而是對後者要求作出的積極回應，其中對越南的支持在辛亥革命後才有較多的實質性內容。其次，孫中山把遠東問題統一考慮的結論，顯然是將中國革命置於優先地位，認為只有中國革命勝利才能對亞洲局勢產生重大影響，獨立富強的中國可以對其它民族的解放鬥爭形成有力的支持和保護。

從日本外交文書反映的情況看，孫中山與朝鮮志士交往的目的之一，是試圖利用朝鮮事變為導火線，以便乘機發動反清革命。與越南志士的交往也是如此。1905年孫中山與潘佩珠會見時清楚地表示：「其結果則欲越南黨人加入中國革命黨。中國革命成功之時，則舉全力援助亞洲諸被保護國同時獨立，而首先著手於越南」[33]。在支持菲

30 黃季陸：《國父援助菲律賓獨立運動與惠州起義》，《傳記文學》第7卷第5期，1965年11月。

31 1900年6月10日、1902年1月21日、7月9日兵庫縣報。

32 關於此事，興中會的《中國旬報》連續三期有所報導。

33 《孫中山年譜》，第75頁。

律賓的反美鬥爭時，孫中山同樣與中國革命聯繫起來。開始他計劃率興中會員去菲律賓參戰，幫助後者迅速成功，「然後將餘勢轉向中國大陸，在中原發動革命軍。」運械受阻後，徵得彭西同意，孫中山又決定首先將武器用於中國革命，聲稱：「如果我們的大事成功，菲律賓的獨立便易如反掌」。[34]對於那些與中國革命沒有或不易建立起直接聯繫的亞洲國家的民族解放運動，孫中山只是給予一般性的道義同情和聲援，很少主動聯絡並提供實質性援助甚至允諾。

由於孫中山畢生都在為中國革命奮鬥，直到逝世，還是「革命尚未成功，同志仍須努力」，所以他的思想活動對亞洲民族解放運動的客觀影響遠遠大於主動支持的作用。愛國的民族主義實現後才能提倡世界主義，是孫中山直到晚年一貫堅持的觀點。大國只有擺脫「次殖民地」的狀況，達到獨立富強，才能承擔起「濟弱扶傾」的歷史重任。顯然，孫中山尚未把「濟弱扶傾」作為現實的行動方略，而是「今日在沒有發達之先，立定扶傾濟弱的志願，將來到了強盛時候，想到今日身受過了列強政治經濟壓迫的痛苦，將來弱小民族如果也受這種痛苦，我們便要把那些帝國主義來消滅，那才算是治國平天下」。[35]孫中山對亞洲民族解放運動的巨大影響和實際幫助，當然不應否認，但如果將這些影響的客觀作用與主觀意向、實際行動不加區分，則不免誇大孫中山的國際主義傾向。

三　濟弱扶傾

從亞洲各國對孫中山的影響方面，也可以探究其主觀取向。如前所述，孫中山外來思想的主要成份取自歐美，雖然他在歐美生活的時

34 宮崎滔天著，佚名初譯，林啟彥改譯、注釋：《三十三年之夢》，第156、175頁。

35 《三民主義》，《孫中山全集》第9卷，第253頁。

間，包括檀香山時期，還不及在亞洲的一半，但由於處在思想形成和變化的重要時期，所受教育又主要為歐式科學教育，而且到過的亞洲國家和地區多為英、法殖民地，所以思想影響反倒是亞不及歐。總的看來，亞洲各國情況引起孫中山注意的集中在三個方面：1. 淪為殖民地的原因及其悲慘境遇。2. 實行西方文明制度的效果。3. 民族解放運動的發展。

就亞洲國家而言，孫中山特別重視日本成功的經驗，對於日本的維新變革、地方自治、武裝建設、經濟發展等予以全面系統的關注。如果說歐美強國長期是孫中山心目中的榜樣，那麼日本則是按照這一楷模在亞洲複製出東方模型的成功範例。

與孫中山對這兩個基本座標的濃厚興趣相比，他對亞洲其它國家，特別是與之有密切關係的南洋各國的瞭解和思索，則只能具有參考和例證的意義。孫中山到過越南、暹羅、緬甸、新加坡、馬來亞，主要是從事發動華僑支持中國革命的活動，很少考察這些國家的內部事務。孫中山曾經表示：

> 「中國農民雖然沒有知識，究竟與那些沒有受過教化的人不同。中國普通的農民不能與澳洲叢林中的土人、印度的山人、或菲律賓人一列看待——中國人絕不像這些人們一般，文化已比他們高幾百年。」[36]

把中國文化視為近代歐洲文化以外的一種優越文化系統，程度遠遠超過亞洲各國。這種文化優越感無疑會影響他對後者的態度。在他的言論著述中，多次提到過暹羅以開放革新來廢除不平等條約，爭取和維

36 《與克拉克的談話》，《孫中山全集》第9卷，第149頁。

持獨立，土耳其以革命獲得解放，朝鮮、越南、緬甸、印度的亡國之苦和導致落後的原因，以菲律賓革命論證中國實行共和的可能與必要，用朝鮮、越南的殖民統治狀況比較中國被列強瓜分的「次殖民地」地位，論述亞洲各小國與中國的歷史文化聯繫，並以亞洲各國民族解放運動持續高漲的事實來鼓舞中國民眾的鬥志。

但是，這些可以確定的影響，基本是起著例證的作用，以加強宣傳的效果，與孫中山對歐美和日本的重視瞭解程度相比，顯然是零星輔助而非全面和導向性的。即使就他反覆引述的暹羅以開放政策引進外資外法，實行維新，從而不僅保持住獨立地位，而且逐步發展繁榮的事例看，其開放觀念主要來自歐美近代意識，日本的成功是這一觀念適用於亞洲後進國家的第一例證，而暹羅的事例則加強了這一認識。

孫中山在南洋一帶有將近四年的活動經歷，這些實地見聞對他的印象和影響，很少反映在他的言論著述中。除了對華僑有關的事務表示關注外，孫中山對南洋各國情況的認識，似乎很少是實地考察的結果，或者說這些實地生活的影響對孫中山的思想未起重要作用。如越南是孫中山居住較長，活動範圍較廣的國家，其民族解放運動又與孫中山有長期的直接聯繫，可是孫中山屢次到越南各地活動，主動與當地愛國志士接觸卻為數不多。迄今所見孫中山的言論文字中，較詳盡談及他在越南見聞印象的有四次，即1917年《中國存亡問題》講述法國殖民當局在北圻以重稅掠奪安南人土地，1921年10月在南寧演說提到法國人在安南經營之善，同年底在桂林對粵軍演說論及法國殖民當局的愚民政策，1924年3月在廣州對滇軍演說談到紅河水災後法國當局實行賠償的情況。他批評法國的殖民政策，卻稱讚西方文明制度的先進性和高效率，很有些像他對香港的觀感。香港是孫中山在殖民地中生活最久的地區，他後來多次提到香港對自己的影響，給人印象最深的是實行歐式近代文明制度所帶來的巨大社會變化。

孫中山活動的年代，恰是亞洲民族解放運動風起雲湧的時代，主張把遠東和亞洲問題綜合起來解決的孫中山，對各民族的解放鬥爭均給予一定的關注，其言論著述先後提到菲律賓的反美戰爭，土耳其的兩次革命，印度國大黨的鬥爭和甘地的不合作運動，以及日俄戰爭、第一次世界大戰和俄國革命對亞洲民族解放運動的重大影響，從中得出如下啟示和證明：1.「革命須有精神」[37]，弱小民族只要堅持不屈，必將獲得獨立，進入強國之林。2. 被壓迫民族聯合起來，結成團體，才能有效地反抗列強，實現民族自決[38]。3. 革命必須以軍隊為主動力[39]，次殖民地人民的革命非但不會引起列強的干涉，相反，只有革命才能防止干涉[40]。4. 弱小民族的獨立解放運動應當努力爭取外援，避免因為孤立無援而導致分裂。[41]

不過，孫中山對亞洲民族解放運動的關注仍帶有大國中心傾向。他首先重視日本的明治維新，這方面的言論著述最多；其次是關於土耳其革命和印度獨立運動，限於表面瞭解，缺少深入認識的意向；對於朝鮮、越南、伊朗、阿富汗等國的民族解放運動只是一般性提及；對印尼的鬥爭則幾乎沒有提到。隨著時間的推移，孫中山加強了與廣大弱小民族聯合的願望，策略上開始改變大國中心取向，更多地關注弱小國家的發展變化。然而，依據現有材料，很難確定孫中山思想中的哪些成份主要來自亞洲弱小民族解放鬥爭的影響。

孫中山的亞洲觀雖然存在大國中心取向，對日本寄予厚望，而對

---

37 《在桂林對滇贛粵軍的演說》，《孫中山全集》第6卷，第16頁。

38 《三民主義》，《孫中山全集》第9卷，第240頁。

39 《通告陸海軍將士文》，《孫中山全集》第2卷，第3頁。

40 《在日本東亞同文會歡迎會的演說》，《孫中山全集》第3卷，第14頁。

41 《在日本東亞同文會歡迎會的演說》，《孫中山全集》第3卷，第14頁。

其它弱小國家的民族解放運動缺少積極主動的聯繫和實際支持，這並不表明他對待強權和被壓迫民族的政治立場。一方面，他始終批評日本政府奉行西方列強的強權政治，推行霸道政策，呼籲日本人民及其政府改變視日本為列強之一的錯誤觀念，堅持同情和支持弱小民族。尤其在朝鮮問題上，表現得最為明顯。朝鮮是日本侵略亞洲的首要目標，儘管孫中山長期急於取得日方援助，對朝鮮問題卻從不含糊妥協，多次公開表態支持朝鮮獨立，嚴厲譴責日本侵略奴役朝鮮人民的罪行，並一再指出：日俄戰後日本侵略朝鮮，「致失亞洲全境之人心」[42]，「日本人為歐人使用而侵略我亞細亞人者，焉得為亞細亞乎！」[43]只有幡然悔悟，改變侵略政策，援助亞洲弱小民族，才能重新回歸亞洲集體的懷抱。

孫中山在辛亥革命後首次訪問日本時，曾發表過日本「絕無侵略東亞之野心」，其近年的侵略舉動，「亦出於萬不得已，非其本心」[44]的違心言論，又多次表示希望日本成為亞洲的「救主」，實際上對於日本的侵略野心早有察覺，後來更一針見血地指出：「近代日本對於東亞之政策，以武力的資本的侵略為骨幹。」[45]他的大亞洲主義演說，正是呼籲日本不要「做西方霸道的鷹犬」，而應成為「東方王道的干城」，[46]還特別提出以承認俄國作為日本回歸亞細亞主義的第一步。[47]

全面系統地綜合分析孫中山的國際觀與亞洲觀，避免孤立地突出某一方面，可以發現，在思想和政治層面，孫中山的國際觀和亞洲觀

42 《致犬養毅書》，《孫中山全集》第8卷，第402頁。

43 《孫中山年譜》，第240頁。

44 《在東京中國留學生歡迎會的演說》，《孫中山全集》第3卷，第26-27頁。

45 《致田中義一函》，《孫中山全集》第5卷，第276頁。

46 《對神戶商業會議所等團體的演說》，《孫中山全集》第11卷，第409頁。

47 《與日本某訪員的談話》，《孫中山全集》第11卷，第466頁。

具有明顯的強（大）國中心取向，而起決定作用的因素不止一端。強國中心取向，中國主體意識，反對強權霸道的王道觀以及同情支被壓迫的弱小民族反對列強的鬥爭，是相互聯繫、制約孫中山國際觀與亞洲觀的四大支架。為了盡快爭取中國革命的勝利，孫中山優先考慮爭取強國，特別是能夠實行平等待我政策的強國支持援助的可能性，革命的目的則是爭取實現獨立，仿傚西方文明，進入強國之林。同時，孫中山堅決反對列強的侵略擴張，主張取得獨立地位的強國應當實行王道和濟弱扶傾政策。即使在中國革命成功前，他也沒有因為尋求強國的支持而放棄對正與列強進行鬥爭的被壓迫民族的道義聲援與支持，不僅一般性地表示了反帝的意向，而且當弱小民族求助於他時，盡力予以援助。他在政治上堅定不移地站在被壓迫民族一邊，還主動承擔了革命勝利後援助亞洲弱小民族爭取獨立解放的義務。

指出孫中山國際觀與亞洲觀中的強國及本位中心取向，旨在更加完整地理解這位革命先行者的活動背景及其努力的複雜和艱辛。孫中山領導的革命運動，開始將中國本身的革新救亡事業與整個亞洲乃至世界的民族解放運動直接聯繫起來，順應並推動了世界民族解放運動由孤立分散的鬥爭向著協調統一的方向發展的趨勢。正因為整個國際形勢和孫中山本人的思想決策都處於劃時代的過渡轉換過程之中，不可能一下子達到第二次世界大戰後各民族平等自決的認識高度和策略水準。利用強國為支點，爭取民族解放，最終達到民族平等，正是孫中山那個時代弱小民族的革命家實現理想的一種正常和現實的策略選擇。

辛亥前後戴季陶的日本觀

戴季陶的《日本論》，一直被視為近代中國人日本觀的代表性論著。[1]有人稱黃遵憲、戴季陶、周作人為知日派三白眉。然而，這一主要存在於對象國日本的看法，與本國人的評價相距甚遠。不少人認為，國民政府在「9・18」事變後採取對日妥協政策，擔任特種外交委員會委員長的戴季陶難辭其咎。到1970年代，臺灣大學政治系教授許介麟還對戴季陶的《日本論》、特別是日本方面高度評價戴著予以激烈批判。作為國民黨的日本問題專家和身居顯職的權要，戴季陶的日本觀不僅代表了那個時代中國人對日本的一種認識，而且主導了國民政府的對日國策，成為對歷史進程產生重大影響的觀念。

迄今為止，分析戴季陶的日本觀主要依據兩種著作，即出版於1928年的《日本論》和刊登於1919年8月《建設》雜誌的《我的日本觀》。細讀兩書，不難發現，前者是增補後者而成。具體而言，《日本論》前14節是移植增改《我的日本觀》，後10節則為加寫，主要從歷史、文化、社會等角度深入剖析日本。在兩書之前，1917年戴氏奉孫中山之命赴日，探測日本朝野對護法運動的態度，歸國後在《民國日報》發表連載40日的長文《最近之日本政局及其對華政策》。據他自稱，該文和《我的日本觀》一起，解析了中日衝突的表現、根源和焦點，說明了國際間的日本的意義。而《日本論》並未包括《最近之日本政局及其對華政策》的內容。通過大量收集排比資料，可以發現，

1 山口一郎：《近代中國の對日觀》，アジア經濟研究所1969年版。

1.《日本論》不足以全面反映戴季陶的對日觀，至少沒有包括時局與對策部分；2. 戴的對日觀有一個形成、發展、變化的過程，辛亥前後至為關鍵。不瞭解戴季陶對日觀的形成前史，就很難理解其中的種種隱情或言外之意，從而給予全面的認識。

一　瞭解與警惕

辛亥時期戴季陶對日觀的變化發展，大體可分為三個階段，即清末任《中外日報》、《天鐸報》編輯時期、民初主持《民權報》筆政時期和1913年隨同孫中山訪日後。

戴季陶與日本的關係由來已久。1902年，他進入成都東遊預備學校學習日語，兩年後便在川北中學堂擔任日籍理科教習小西三七的翻譯。1905年赴日留學，直到1909年歸國，前後滯日五年。他自稱：「天仇之遊日本也，六歷寒暑，於其國之內容雖不敢謂為詳悉，然大概亦有心得處。」[2]戴長於學習語言，口語尤佳，這使他在留學期間得以和日本人士廣泛交往，受到優待。他入居的東京松濱館，一般不接納中國留學生，對他算是破例。[3]

當時正值革命、立憲兩派在留學界大張旗鼓地活動，戴季陶雖然擔任過留學生同學會會長，卻並不熱衷於派系政治，甚至認為那些積極從事政治活動者多屬見識膚淺，品性輕薄，不屑與之為伍，因而專心學業。除學好法學專業外，對明治維新後的政治法律制度建設以及日本的歷史、文學、社會、時政也十分關注，閱讀了大量有關著作。

2　《日本人之氣質》，《天鐸報》1910年10月17日。

3　謝鍵：《戴季陶先生逝世二週年紀念獻詞》，陳天錫：《戴季陶先生文存三續編》，臺北，中國國民黨中央委員會黨史史料編纂委員會1971年版，第290頁。

歸國後，在發表於《江蘇自治公報》的第一篇文章《憲法綱要》中便指出：清廷的憲法綱要「取法日本者頗多。重言之，即謂為翻譯之日本憲法亦無不可。」[4]這時日本文學鮮為國人注意，戴季陶卻先後發表過《日本文學之鱗爪》（1910年8月13日《中外日報》）、《片片的日本文學觀》（1910年11月7日、8日《天鐸報》）等文章，對日本的小說、和歌、如《源氏物語》、《平家物語》、《三鏡古事記》、《萬葉集》、《古今和歌集》、《枕草子》、《徒然章》等以及日本文學的基本特徵加以評介。由此可見其對日認識的全面與深入。

由於日語好，社會接觸面廣，對日本國情的瞭解體會也較為深刻。這種深刻性體現於兩個相反相成的方面，其一，讚歎日本近代文明發達及其稟性美的一面。戴季陶對日本印刷出版業的興盛印象極深，認為「國家之興衰，視乎出版業之盛否。日本以區區小新進國，既入其都，則大印刷廠也，大書店也，連軒毗戶。每年所出書籍，不知幾千萬種，故文明進步為東洋冠。」[5]推而廣之，「即以社會事業而論，日本之改革遲於吾國，而今則工商業已足加入歐美市場，其學術如醫科等，且為歐人所不及，發達如德國亦既派學生留學於其醫科大學矣，戰鬥力則足以勝強俄矣，國力則已並韓侵滿矣。」[6]在他看來，「東洋之國，以中國為最大，以日本為最文明」[7]。不僅如此，儘管他明知「若非深知日本歷史者，必痛詆此論之非也」，還是公開肯定「日人為最有美的性質之民族」。[8]

其二，憎惡日本的專制與蠻橫。他指責日本和清朝「政府之專橫

4 該文為戴季陶任教江蘇地方自治研究所時的講義。

5 《嗚呼出版界之前途》，《天鐸報》1910年11月7日。

6 《嗚呼無能國嗚呼無能國之民》，《天鐸報》1910年10月21日。

7 《社會之大不幸》，《天鐸報》1910年11月12日。

8 《片片的日本文學觀》，《天鐸報》1910年11月7-8日。

無道則一也」[9]，「嘗痛斥日本風俗壞亂為世界之最」[10]，甚至稱日本為「賣淫國」[11]。他認為：「日人所以成為一等國者，以所乘之勢與所遇之時甚憂故耳」，並非「其民族之英銳聰明而至於此」。「至其民族在世界中以程度而論，亦不過與馬來、朝鮮之種族等耳。」[12]尤其令他厭惡的是日本人的島國習氣，所謂：「島國之民日受海潮之衝擊，其人必狡而易遷。且日人賦數種民族之歷史性，故人民之爭鬥性及融合性皆走極端。蓋其歷史上本無獨立之價值，侵略而勝則肆其凶淫之野圖，爭鬥而敗則又曲盡其諂媚之態。日本之強也以此，日本永無大國民氣度也亦以此。」[13]歸國後，他在公共場所常常目睹來華日本人「自命為東洋文明國」，言行中一股「橫暴」、「囂張」的可憎可厭之氣，感到怒不可遏，有時竟至「以日語詈之」。[14]

1909年戴季陶輟學歸國，在蘇州江蘇地方自治公所任教職，次年，因評論政事，得罪當道，被迫赴滬，先後任筆政於《中外日報》和《天鐸報》，同時為《民立報》撰稿。這時列強彼此協調利益，加緊爭奪在華權益，英、德、日、俄等國在滇藏、山東、滿蒙不斷製造事端。作為有法政學功底的國際問題專家和目光敏銳的新聞記者，戴季陶對列強的侵華言行十分留意。從1910年8月到1911年4月，他發表於上述報刊的400餘篇專論、時評、短評中，這方面內容佔了很大篇幅，對日本朝野的動向尤為關注，舉凡其內政、外交、軍事、國民性格、人事變動，無不加以評論。

9 《社會之大不幸》，《天鐸報》1910年11月12日。

10 《短評》，《中外日報》1910年8月20日。

11 《珠璣沙礫》，《天鐸報》1910年10月22日。

12 《日本人之氣質》，《天鐸報》1910年10月17日。

13 《日本人之氣質》，《天鐸報》1910年10月17日。

14 《耳聞眼見》，《天鐸報》1910年10月28日。

總括來看，戴季陶這一時期的對日觀主要是圍繞中日關係展開，重心在於日本的對華態度與政策。他始終強調日本推行侵華大陸政策的必然性，認為：「日本國小民貧，非擴張殖民殖產之範圍，不足以圖存。而其擴張之範圍，又舍中國而外無他策。」[15]這是日本的國情及中日兩國所處地位使然，「世界無兩勝之國家，利害關係愈深者，其相忌之心亦愈甚，侵奪之事實亦愈多。此自然之趨勢也。」所以，日本朝野上下，「對於吾國，其學者則造論主張併呑，政府則以強硬手段奪我主權，個人之來游吾國者，則每肆意逞橫，蔑視我國法。」[16]就連德富蘇峰這樣著名的民權運動家和社會民主黨人片山潛，也或開始轉向國家主義，或「變為政府之鷹鸇」[17]。日本政府的若干人事變動不可能改變這種趨勢。

然而，戴季陶並不因此而感到悲觀。他一再指出：「吾國今日誠弱，然日人欲以一國之力而亡吾國，則未見能達其目的也。」[18]這一方面因為日本雖強卻小，另一方面則由於「日本以一黃色種族立足於世界白晳人種之勢力圈中」，憑一國之力，不能爭自存及雄飛世界。不僅如此，他還斷言日本如果「只以侵略為心，恐將來之國仇愈多，國難日急，亡國之禍亦將不免矣。」[19]

至於中國方面如何才能遏制日本的侵略勢頭，戴季陶有根本解決與權宜對策兩種打算。所謂根本解決，即「力圖自強之道，謀發展之策，以養成我之實力，則天理循環，今日之彼，即明日之我也。」[20]

---

15 《日英美之新條約觀》，《天鐸報》1911年4月15日。

16 《自強即報復》，《天鐸報》1911年1月10日。

17 《珠璣沙礫》，《天鐸報》1910年12月28日。

18 《日本人之氣質》，《天鐸報》1910年10月20日。

19 《日本人之氣質》，《天鐸報》1910年10月17日。

20 《自強即報復》，《天鐸報》1911年1月10日。

而要實現自強，首先必須改革內政。他在比較了中日兩國的改革進程後指出：「夫以其四千萬之民族，三千餘里之土地，而其進步如是之速。吾人民至多，地土至廣，物產至富，而於國民事業則不及其什一，且受其欺侮侵淩而不敢一應，是尤無能之至者矣。」造成這一局面的根本原因在於中國政府、國民的無能。因此，「吾國欲改良政治，非先破壞此現今惡劣腐敗之政府不可，欲使社會進化，則非除去此軟弱無能之國民氣習不可。前者不可不變換舊政府之人物，後者不可不注意於民力之增進。非然者，則除亡國外無他策。」[21]視革命變革為禦侮圖強的先機。

所謂權宜對策，即利用列強之間的矛盾牽制日本。戴季陶分析國際局勢，認為東洋已成歐美各國爭奪的重心。日本以東亞後起強國，欲參與爭奪，「此於各國之東洋政策實為一大妨礙，歐美之人所以不能不排斥日本者也。」英、美、俄等國的排日情緒因而日見強烈。日本國力不敵歐美列強，「欲求擴張其國力於世界，於是以聯合者為侵略之手段，以維持實業者為發展國力之手段方針」，對英、美、俄妥協退讓，協調利益，藉機侵吞中國權益，增強國力，最終實現全面侵華野心。

1911年初，日英、日美間訂立新條約，戴季陶敏銳地感到：此「為東洋問題之一大關鍵，即為中國存亡之一大關鍵也。」[22]前此日俄、日德協約同盟成立之際，他同樣憂心忡忡。他支持籌議已久的中美同盟主張，認為：「吾國果與美同盟，則對外交涉可以多一形式上之援助，而尤足以牽制日本之勢力」[23]。對中美同盟不成，外交無所憑藉，處處失著，則感到痛心疾首，斥責外交官無能，破壞中美同盟

21 《嗚呼無能國嗚呼無能國之民》，《天鐸報》1910年10月21日。

22 《日英美之新條約觀》，《天鐸報》1911年4月15日。

23 《短評》，《中外日報》1910年8月7日。

者是「賣國奴」、「喪心昧良之民賊」。[24]

戴季陶其實對美國並無幻想，純粹從國際關係的實際出發。他曾明確指出：「夫同盟本為國際間進行手段之一，並非真相親善而然也。」擔心清政府無力收羅美國以為我用，徒然多移植一勢力於國內，「於吾國前途，未見其有好結果也。」[25]當有人問及日美間如爆發戰爭，何方勝利於中國有利時，他答道：「無論何國皆為侵略主義，則無論何國皆於我無利益。不過美國勝，我國可以趁機整頓內治而已。」[26]

此外，戴季陶還寄希望於日本民眾的反抗。他認為，中日兩國雖文明程度有別，政府專橫無道卻如出一轍，人民均未進入文明先進行列，對於日本政府迫害幸德秋水，日本報界助紂為虐，日本朝野無視勞動者利益要求等，均予嚴斥，並且呼籲：「吾甚願吾國民學日人之向上精神，而毋效日人之服從根性。」[27]明治後期，日本國權主義盛行，自由民權運動遭受壓制。戴季陶尖銳地指出：「社會不平，而後平民憤，政府專橫，而後革命起」，「殘忍專橫者，是暴君惡吏自殺之道而已。吾觀日政府殺幸德秋水事，吾深為日政府危。」[28]「區區之野蠻手段，實轉足速專制政府之覆滅耳。」[29]希望日本國民起而革命，改變對內專制對外擴張的國策。這可以說是戴季陶的一貫主張。在對俄問題上，他也曾明確提出利用俄國革命內亂之機與俄決戰的策略，以彌補中國軍隊戰鬥力不強的缺陷。[30]

---

24 《可憐中國之外交》，《天鐸報》1911年3月2日；《同盟嗚呼同盟》，《天鐸報》1911年1月23日；《咄咄二重外交》，《天鐸報》1911年2月7日。

25 《短評》，《中外日報》1910年8月7日。

26 《珠璣沙礫》，《天鐸報》1911年2月5日。

27 《俄人之中國政治觀》《天鐸報》1911年1月22日。

28 《不平鳴》，《天鐸報》1911年2月4日。

29 《珠璣沙礫》，《天鐸報》1910年10月16日。

30 《戰》，《天鐸報》1911年3月21日。

二　頭號大敵

1911年4月，思想已轉向反清革命的戴季陶再度因文字罹禍，輾轉於日本、國內間，後亡走南洋，加入同盟會，參與《光華日報》。由於迄今已見1911年8月以前的《光華日報》未署撰稿者姓名，無法確認其間戴季陶有關日本問題的文字。武昌起義後，戴由南洋歸國，先是密謀東北反清起義，繼而積極參與政事。雖然自1912年3月起主持《民權報》筆政，關注重心集中在瞬息萬變的內政方面，較少對國際局勢、特別是日本問題發表評論，直到1912年6月，日本問題才再度為其筆鋒所向。到1913年訪日止，先後在《民權報》上發表了《今日之外交界》（1912年6月5-7日）、《公道與人道》（6月19日）、《瓜分之實現》（7月25日）、《機會均等之結果》（7月30日）、《四十五年之日本》（7月31日）、《日本政治方針之誤》（8月4-5日）、《日俄與內外蒙古》（8月9日）、《中國之軍事問題》（8月15-16日）、《征蒙與拒俄》（10月29日-11月3日）、《日本內閣辭職觀》（12月5日）、《內閣辭職後之日本政局》（12月12日）等一系列重要文章以及大量短評。

與辛亥前相比，戴季陶這一時期對日本問題的評論有兩個顯著特徵，一是視日本為中國的頭號外敵，二是加重對軍事問題的關注。當時最嚴重的主權危機為俄國挑唆外蒙獨立，在舉國一片抗俄聲中，他反覆強調：「吾人在今日，所急宜以全力預防者，非止外蒙與俄國。彼東方之日本，正吾人當頭之第一大敵也。」[31]還進一步從一般國家原理、東亞局勢、日本近代歷史及政府方針等幾方面加以論證。就一般原理言，「蓋擴張者，國家之自然發展也。」明治以來，日本人口迅速增長，內部秩序整齊，軍事力足以維持國勢，「則其向外之侵

31　《征蒙與拒俄》，《民權報》1912年10月29-11月3日。

略，非其政治家之野心也，國民之自然殖民性使之然耳。」[32]從東亞局勢看，中國的外敵為英、法、俄、德、日五國，「今日在中國利害關係之最深者為日、英、俄，而日、俄之進行尤急。」[33]由於德國在巴爾幹半島加緊擴張，「諸國關係皆受歐洲國際間之牽制，而不能專事東方」。「由此觀之，則可知今日與中國存亡關係最切者，厥為日本。日本者，東方之德意志也，其國力既足以自給而有餘，而以人口增殖，地方限制之故，絕不能不為對外之擴張也。」[34]

近代日本發展史也表明了這一點。明治維新以來的半個世紀，「東亞之國，滅亡者凡四，而其二倂於日；大戰者二，皆歸日本勝利。是此半世紀中，中國以世界第三位之大國，而陷於無可立足之悲運，東海島國，一躍而升世界頭等之強國。」[35]日本既已吞琉球，占臺灣，倂高麗，「則其勢力之所趨，必進而侵略中國內部」。加上日本政府目光短淺，不能審時度勢，實行南進海上擴張方針，而圖北進的大陸侵略政策，而「亞洲大陸，日本可著手者，除中國之外，蓋全無之。」[36]因此，「日本與吾國，以今日日本之政治方針觀之，絕無絲毫可不衝突者。」[37]「是中國與日本，無論何時，皆立於一極反對之地位也，中國與日本之利益衝突，絕無時可以了也。」斷言中日間必將爆發「大衝突」[38]。而且這一趨勢不會因為日皇之死或內閣更替等偶然事件而改變。

作為對國際政治與國際關係有全面瞭解的政論家，戴季陶敏銳地

---

32 《日本政治方針之誤》，《民權報》1912年8月4-5日。

33 《瓜分之實現》，《民權報》1912年7月25日。

34 《日本政治方針之誤》，《民權報》1912年8月4-5日。

35 《四十五年之日本》，《民權報》1912年7月31日。

36 《日本政治方針之誤》，《民權報》1912年8月4-5日。

37 《征蒙與拒俄》，《民權報》1912年10月29-11月3日。

38 《日本政治方針之誤》，《民權報》1912年8月4-5日。

察覺到歐洲形勢變化對東亞的影響。一方面，歐洲列強依據其在歐洲的利益關係重新協調東亞格局，對日本實行妥協，對華政策即由戴氏所謂「奪羊」變為「分羊」。尤其是日、俄兩國，對滿蒙加緊共同侵略步伐。另一方面，由於歐洲列強無暇東顧，中國對某一具體侵略行動的抵抗，可能不致引起其它列強趁火打劫，這種局部對抗使國力貧弱的中國有機會爭取相對主動。當庫倫活佛在俄國支持下宣佈獨立時，戴季陶力主大舉征蒙。此舉目的不僅在拒俄，更有遏制日本侵略滿蒙的意向。因為「日、俄之政治方針，既互相融合，俄甘讓步於日本，俄併外蒙，日人必不反對之。日人苟併滿洲及內蒙之東四蒙，俄人亦必不反對之。」「蒙古之所以敢於獨立者，恃有俄也。俄之所以敢逕以獨斷之力，奪吾外蒙而去之者，以與日人互為侵略也。」[39]有鑑於此，「征庫所以拒俄，保內蒙所以防日也。彼日本以增兵朝鮮為侵略滿蒙之預備，而吾人則宜以重兵保內蒙，為防日人侵略滿蒙之先聲。俄人以侵略外蒙為唆使日本之暗示，而吾人則徵庫以戢其野心。」可見，「征庫保蒙衛滿救國」[40]，矛頭所向，主要還是日本。

早在辛亥前，戴就指出：「此刻吾國與日、俄二國間所以尚無戰爭者，以中國之戰鬥力實不足與二國戰故也。」「吾民之在今日，雖不能遽言戰，然固一刻不能忘戰者也。」[41]既然「吾國之勢，萬不能不用兵」，就必須探討用兵之道，力求知彼知己。在瞭解列強的軍事力量及其具體配置方面，戴季陶不僅分析列強的軍費、戰略、陸海軍兵力等問題，還廣泛收集資料，著重介紹分析日、俄等國在遠東，特別是韓國及滿蒙的兵力部署，以為用兵參照。

不過，對於弱國興師，戴季陶的確顧慮重重。總體上，他受當時

39 《征蒙與拒俄》，《民權報》1912年10月29-11月3日。

40 《日本內閣辭職觀》，《民權報》1912年12月5日。

41 《俄報之反間計》，《天鐸報》1911年2月7-9日。

歐美流行的軍事戰略思想的影響，強調軍事力量對比是維持國際均勢的要素，而軍事力量又取決於以經濟為主導的綜合國力。在《中國之軍事問題》（《民權報》1912年8月15-16日）一文中，戴提出：中國「擴張陸軍，必其力足以敵日、俄、英三國陸軍之總數，或且駕而上之，然後可以固國防，而維持國際間之均勢也。」據此，則中國須常備軍150萬，戰時動員更要達500萬人才能開戰。要編練這樣一支龐大的軍隊，首先必須有獨立的武器製造系統，「武器獨立之日，即中國兵力充足之日，而後可以言國防，而後可以言交涉。此蓋中國軍事上之一大關鍵也。」因此，他雖力主征蒙，卻「不敢徒作快心論也」。[42]

與日本問題相關聯，戴季陶還極為關注韓國的興滅存亡。在他看來，日本侵略壓迫下的韓國的今天，很可能成為滿洲乃至整個中國的明日的先兆。

戴季陶留學日本時，「識韓人甚多」，與其中不少人來往頻繁，如因國事匿日的高僧金永基。據說還與一位韓國公主有過羅曼史。這段緣份使他對韓國人的不幸遭遇倍加同情。歸國後，他在報刊上發表的第一篇評論日本問題的文字，就是《日韓合邦與中國之關係》（《中外日報》1910年8月5日）。1910年，日本朝野大造合併輿論，而中國各界對此置若罔聞，「一若他人之事，與我毫無關涉者。」針對這種狀況，戴季陶大聲疾呼，指出日韓合邦「為滿洲生死存亡之一大問題」[43]。由於中韓兩國歷史上長期存在特殊關係，日本在中國內地特別是長江流域各省勢力又迅速增長，「是則韓國之存亡問題，即吾國國權之消長問題，亦即吾國實力之增減問題。」「併韓之後，滿洲固為其第一著侵略之範圍，而在內地各省之實力，亦必依其國力之進步

42 《征蒙與拒俄》，《民權報》1912年10月29-11月3日。

43 《短評》，《中外日報》1910年8月5日。

比例。」「是合邦成局之日，即滿洲斃命之日，亦即吾國全部大敵接近之日也。」「韓亡則滿洲亡，滿洲亡則內地之日本勢力益盛，大好神州恐將變為島夷之殖民地矣。」他尖銳地批評中國政府、輿論機關和民眾「大敵當前而不知，巨災橫後而無聞」的麻木不仁，慨歎「吾國其真將以痲痹之疾而亡乎？」並正告國民：「苟日本實行併吞韓國後，政府而於滿洲之政策仍不加之意，不數年後，地圖變色矣。」[44]

日本倂韓之際，戴季陶針對日本朝野遍開祝賀會的情形，提出：「唇亡齒寒，宜舉行一國民大追悼會以弔之。」[45]1911年年初，他回顧庚戌天下大事，稱朝鮮亡國、安重根遇難為五大慘事中的兩項，而李完用（韓國親日的一進會會長）被刺則為五大快事之一。[46]並且認為從甲午到庚戌日本侵吞朝鮮的全過程，「實吾國外交之第一大失敗史也」[47]。

此後，戴季陶一面揭露和譴責日本對韓國殖民統治的殘暴專制，一面關注聲援韓國的抗日鬥爭。針對日本當局所謂「治文明地必取自治政治，治野蠻地必取專制政治，治無反抗之地必取自治政治，治有反抗之地必取專制政治」的謬論，戴季陶指出：「日本近數十年來，亦以文明自炫矣。然文明者，非僅物質之進步而已也，惟能為人類謀真正之幸福，保世界永久之和平者，斯乃可謂為文明之真者也。」[48]他譴責日本殖民當局精神上剝奪朝鮮人的言論權，「不特國內之言論界，即外國之出版物，其內容稍涉文明者，日人亦禁之不允輸入」[49]，

44 《日韓合邦與中國之關係》，《中外日報》1910年8月5日。

45 《珠璣沙礫》，《天鐸報》1910年10月15日。

46 《世界去年之大快大慘大不幸》，《天鐸報》1911年2月2日。

47 《哭庚戌》，《天鐸報》1911年1月21-25日。

48 《日韓合邦與中國之關係》，《中外日報》1910年8月5日；《刑罰與人道》，《民權報》1912年7月6日。

49 《可憐亡國人之口》，《天鐸報》1911年3月17日。

肉體上以「殘酷無人道之肉刑」虐待朝鮮人，「蹂躪人權」，「為世界史中增一怪事，為日本文明史中留一污點，為朝鮮亡國史中多一恨事。」[50]日本在韓國大修鐵路，目的也是「交通日便，而其種族日殆矣。」[51]對日本訪華議員所謂「併韓為防俄人之侵略」的狡辯，戴季陶堅決予以駁斥，指出：「日本侵韓之歷史，幾與日本之歷史相併存。」[52]

在抨擊揭露日本殖民主義的同時，戴季陶對朝鮮的抗日鬥爭予以聲援支持。1910年安重根刺死伊藤博文後被絞殺，消息傳來，戴欲重九「一登最高峰，弔重根之雄魂歸來」，以緬懷這位「為朝鮮樹最後之獨立紀念碑」的「真豪傑」、「愛國好男兒」。[53]1912年，以尹致昊為首的新民會120人因密謀武力反日被殖民當局逮捕起訴，戴氏稱為世界二慘劇之一，認為這是日本不能以人道待異族所致，宣稱：「尹致昊等之被縲絏，以公理論，實韓國最愛國之士無疑也。」[54]1912年8月，中國警察應日本領事之請，在京津逮捕9名密謀刺殺桂太郎的朝鮮志士（含中國人1名），遞解日本。戴季陶依據國際法，指責日本越權違法，痛斥民國政府「喪失國權」，「違背人道」，斷送「中華民國開幕之國際上價值」。[55]他告誡日本政府，歧視虐待韓國人，「是自殺政策而已」[56]，要「使韓人心悅誠服」，「不與為敵」，最好是「仍朝鮮自主，永永遠遠不干涉他半點」。[57]

50 《刑罰與人道》，《民權報》1912年7月6日。

51 《東亞陽秋》，《天鐸報》1910年10月11日。

52 《日本議員觀光團之態度》，《民權報》1912年11月9日。

53 《安重根墓》，《天鐸報》1910年10月14日。

54 《公道與人道》，《民權報》1912年6月19日。

55 《遞解韓人事件與國際法》，《民權報》1912年8月11日。

56 《公道與人道》，《民權報》1912年6月19日。

57 《珠璣沙礫》，《天鐸報》1910年10月13日。

在日本併韓前後，出於對中國存亡的憂慮，為了警醒國民，戴季陶對朝鮮民眾的態度一度有所偏激。他說：「吾敢一言以蔽之曰：朝鮮之亡也，以其國民無能故。」「朝鮮雖為日人勢力所及，然苟乘當時名義未改，主權自攬之時，奮力自圖，以彈丸之國，二千餘萬之人民，非至易治者乎。乃事事倚日人之命，其蹈今日之亡固宜也。」[58]這番話也包含他個人的體驗。據他回憶，旅日韓人雖「亦有勇於為義，奔走國事，毫不計及一身之利害者。惟氣慨頹唐，且多以傚日人之起居動作為榮者。予常謂朝鮮之屬日不遠矣。」[59]

隨著朝鮮反日獨立運動的展開，戴季陶的看法有所改變，認為：「日本併吞朝鮮以來，……韓人之革命思潮，固日見增加也。其以革命事件而幽囚於縲緤者，若柳東說，若梁起鐸，若安泰國，其死者若安重根等，皆一時愛國之士也。此次又以隱謀之事而拘留之者百二十二人，其首領則尹致昊也。」「吾觀韓人之暗殺案屢起，及日本對韓之方針，吾蓋知革命之風潮漸漸趨於激烈矣。」[60]視朝鮮抗日鬥爭為阻遏日本侵略的重要一環。

三　捩轉潛因

1913年2月至3月，戴季陶作為孫中山的隨員訪日，3月底歸國，4月初再次發表對日評論。在這篇題為《強權陰謀之黑幕》的文章中，戴氏對日本的態度出人意料地來了個180度大轉彎。前此他視日本為中國的頭號大敵，這時卻表示要「講善鄰之策」，與日本「聯絡」、「提攜」，「以共謀黃種之存立」，還解釋道：「日本為東方之先進國，

58 《嗚呼無能國嗚呼無能國之民》，《天鐸報》1910年10月18-21日。

59 《天仇叢話》，《民權報》1912年4月1日。

60 《公道與人道》，《民權報》1912年6月19日。

又為黃人種中最強之國家，若能互相聯絡，內則可以助吾國之建設，外亦可以防野心國之侵略。」[61]這一變化如此之大，如此突兀，不能不究明原因。

就文章表面看，使戴季陶改變觀念的直接導因是日本朝野的對華態度。他說：「抵東京以來，見乎日本官民上下，其欲與吾國聯絡之誠意，實極美滿。而實業界諸人，勤勤懇懇之衷，尤吾人所深感激者也。中山先生之東遊，日人朝野上下，無老幼男女，皆莫不表極歡迎之意者，非歡迎中山先生一人也，實極希望中日之聯絡，而圖東亞大局之安全也。」日本是世界八大強國之一，也是唯一的亞洲人種強國，很難與歐洲列強對抗。中國為大國，「人民眾多，物產豐富，中國若富強，則以一國之力，可當日本十倍。合中日兩國之力，以與歐洲人種之列強抗，歐洲人種之國，未有不翻然改其侵略主義為聯合主義者。如是則兩大人種，攜手並行，世界平和，於是乃可希冀。故大而言之，中日兩國之聯絡，為黃白人種聯合之起點；小而言之，則中日兩國聯絡，亦可以保全東亞之大局。」過去因為清廷專制守舊，「不足與有為」，日本「為自衛計」，對華「不能不持強硬態度」。辛亥以後，中國政治改革，建設共和，「此日人所以極欲與吾國聯合者也」。他還以日俄關係為據，證明日本聯華意向的真誠。先此，俄國外相欲以讓日本經營東蒙古為誘餌，換取其對外蒙獨立的認可，但「日本並不為俄國之所搖動，且極力圖與吾國提攜。是可知日人今日朝野之意見，皆共同一致，為兩國之安全計，亦為世界之平和計也。」

此次訪日，孫中山一行的確得到日本朝野各界的熱烈歡迎。但對戴季陶對日觀的捩轉產生決定性影響的，恐怕還是孫中山與桂太郎幾

61 《民權報》1913年4月3日。

度密談所達成的共識。關於會談詳情，迄今未找到記錄，疑點甚多，茲不討論。僅就內容而言，據中日雙方有關人士如戴季陶、胡漢民、秋山定輔、宮崎寅藏等人的憶述，雙方在如下問題上取得共識：1. 孫、桂互信，中日聯好，保持東半球和平；日本放棄侵華的大陸政策，全力向美、澳發展。2. 中、日、土、德、奧聯好，保持世界和平；日本由日英同盟轉向日德同盟，由對俄作戰轉向對英作戰，打倒英國的霸權，解決印度問題，使有色人種復甦。3. 支持孫中山重掌民國政權。4. 中日共同開發滿洲。[62]孫、桂瞭解彼此對時局的看法後，桂感到「不期正合吾志」，「大喜若狂」，孫則對桂的見識極為佩服，兩人相見恨晚。而使彼此深入理解的基點，則是以東方民族復興為中心的世界政策。同年10月，桂太郎突然死去，孫中山為此大為歎惜，認為「日本現在更沒有一個足與共天下事的政治家，東方大局的轉移，更無可望於現在的日本了。」[63]由此看來，《強權陰謀之黑幕》一文，基本是反映孫中山的觀點。

不過，儘管戴季陶對孫中山的人格主義十分崇敬信服，卻不會在任何問題上亦步亦趨，尤其是在他有相當自信的對日觀方面，[64]不可能盲從顯而易見的誤判，一夜之間放棄自己長期形成的根深蒂固的觀念。對桂太郎其人，戴季陶早有定論，稱之為「武夫政治家也，其主張則大陸侵略主義也，其性質則剛愎也，其手段則毒辣也。」以桂負責外交為日本不會改變侵華政策的力證。1912年12月，日本內閣更替，戴斷定奉行大陸政策的桂將上臺，「桂太郎而果繼起組織內閣，

62 高綱博文：《孫文日中ソ提攜論の起源と形成》，日本大學通信教育部通信教育研究所《研究紀要》第6、7合併號，1994年3月。戴季陶《日本論》只提及前三條，秋山定輔、宮崎寅藏的回憶則涉及第4條。

63 戴季陶：《日本論》，中國國民黨中央黨史史料編纂委員會編印：《革命先烈先進詩文選集》第4冊，第2212頁。

64 《日本人之氣質》，《天鐸報》1910年10月17日。

則此問題（即朝鮮增兵）且必復燃而通過焉。嗚呼！滿洲危矣！嗚呼！內蒙危矣！」[65]

關於日本的政治方針，戴季陶認定「為對於大陸而求擴張，侵略中國之野心，無日或熄。」[66]他雖然主張運用外交手段解決危機，贊成聯美之說，卻對聯日說則斷然否定，斥為幻想，因日本是野心國，沒有聯盟餘地。而破壞中美聯盟正是日本的陰謀。[67]對於同文同種等謬說，他也頗為憎惡，指日本的「保全中國」實質是「保全已國在中國之勢力日以擴張，勿為他人所奪耳。」[68]

1912年6月，大阪《朝日新聞》發表題為《美國在支那之地位》的社說，指責民國政府的親美態度，提出：「日本與中國，僅隔一衣帶水，而又有特種之關係，臥榻之側，豈容他人酣睡耶？」戴正色道：「敢告日人曰：吾國之恨，正以日本與我有特種之關係也，正以日人有臥榻之側，豈容他人酣睡之野心也。」[69]他甚至懷疑日本人支持革命黨亦為陰謀，說：「武昌起義，日人之奔走於中國者，大約分兩種，一則助民軍以攻清廷，一則助清廷以攻民軍。而細推其意，實欲使中國之戰爭延長，全國糜爛，而後可收漁人之利。」[70]這種徹底的反日情緒，即使在革命黨內也顯得十分突出。

從孫、桂會談的內容可見，雙方的立場並非完全一致。據宮崎寅藏回憶，桂說明中國的目的在於推行其大東亞政策，孫則欲與日本提攜以建設新支那。[71]日本雖宣稱放棄侵華，但開發滿洲正是實現大陸

65 《日本內閣辭職觀》，《民權報》1912年12月5日。

66 《征蒙與拒俄》，《民權報》1912年10月29-11月3日。

67 《聯美與聯日》，《民權報》1912年7月7日。

68 《同盟嗚呼同盟》，《天鐸報》1911年1月23日。

69 《日人之醋意》，《民權報》1912年6月13日。

70 《今日之外交界》，《民權報》1912年6月5-7日。

71 《惜しや桂公逝く》，宮崎龍介、小野川秀美編：《宮崎滔天全集》第5卷，東京，平凡社1971年版，第548頁。

政策的重要步驟，戴豈會輕信上當？從胡漢民對此事的回憶及評論看，雙方對大亞洲主義的理解也很不相同。[72]另外，孫中山向日方表白的強硬反英姿態，不足以全面反映其對英立場態度。正如他向日方表示的對日態度不能全面反映其真實立場一樣。直到1923年，孫仍然試圖爭取英國的支持。作為缺乏實力的政治家，公開與一個在中國有重大影響的政治勢力對抗，並非明智之舉。這些內情，日方不一定清楚，戴季陶參與機要，孫中山理應向他交底。

在這樣的情況下，要令戴季陶附和孫中山的對日觀，或者說孫說服戴接受其觀點，除了孫、桂協議的共鳴外，應當還有孫中山的策略考慮。這一點雖不能直接見諸文字，但從相關行為及各方態度的綜合分析中，可以探知基本脈絡。

孫、桂會談的起點，首先是與孫中山及革命黨關係密切的《二六新聞》社社長秋山定輔，於1911年下半年經山縣有朋介紹，連續三天拜訪桂太郎，陳述其「國策大回轉」意見，主張1. 放棄日英同盟，轉向日德同盟，日俄協商。2. 支持孫中山建設中國。3. 組織大政黨和協力內閣。4. 東亞民族自立。[73]桂太郎即使接受該建議，也附帶苛刻條件。1912年2月，由得到桂授意的三井物產顧問益田孝指派該會社社員森恪到南京拜訪孫中山，提出以援助革命派換取滿洲租借權的提案。孫答應以一千萬元為代價，同意日本租借滿洲。[74]這一交易因山縣有朋反對，日方遲遲未提供貸款而擱淺，但雙方聯繫並未中斷。

1912年11月5日，大阪《每日新聞》發佈了孫中山預定於11月13

---

72 《胡漢民先生遺教輯錄》，第17-18頁。

73 櫻田俱樂部：《秋山定輔傳》第2卷，第104頁。

74 藤井升三：《孫文の對日態度——辛亥革命時期の滿洲租借問題を中心に》，《石川忠雄教授還曆紀念論文集：現代中國與世界——その政治的展開》，東京，慶應通信1982年版，第109-150頁。

日由上海出發經神戶赴東京訪日的消息。11月7日，東亞同文會決定召開孫文歡迎會，支那問題研究會表示贊同。神戶的市政府及商工會議所也選出孫文歡迎委員。桂等人（包括後藤新平、長島隆二）即使不是發起人，與此也有密切關係。因此，當西園寺內閣決定閣僚和元老在孫訪日期間不與之會面後，桂擔心與孫結怨，特派秋山定輔赴滬，力勸孫中山暫停訪日，以免屆時出現尷尬局面。[75]孫、桂間的溝通，為兩人以後會談達成共識提供了基礎。

孫中山訪日，表面是感謝日本援助中國革命及視察日本鐵道制度，實際上別有所圖。其中之一，當是爭取日本率先承認中華民國。民國成立後，列強一直態度曖昧，雖有美國首先承認說和美法共同承認說，均為曇花一現。由於得不到國際公認，新生共和政權外交上處於被動地位。孫中山與日本政界早有聯繫交往，正可利用來打破僵局。而且，恰在此時，日本眾議員觀光團訪華，向日本政府提出首先承認中華民國問題，日本國內輿論也公開表態支持。其中與孫中山的關係孰為因果，有待深究。從孫中山當時的對日主張看，似對取得日本支持胸有成竹。

另一原因，是11月3日發生了「庫亂」事件，俄國與外蒙簽訂《俄蒙密約》及《商務專條》，企圖製造外蒙獨立，引起舉國公憤，戴季陶即為主戰派之一。孫中山對此也極為關切。11月7日中國政府向俄國提出抗議後，11月9日，孫即致電袁世凱，提出遷都、聯日的對策，電稱：「今日弭患要圖，非速行遷都，則急宜聯日，二者必行其一，方能轉危為安。遷都既屬困難，則聯日不容或緩。文深維此事速欲親行一試，如有意外好果，其聯交之度當至若何，請先示程序，以便文於月底一往東洋遊說彼邦執政，想不至虛行也。」袁覆電表

75 藤井升三：《孫文の研究》，東京，勁草書房1983年版，第103頁注（3）、第80頁。

示:「遷都尚多窒礙,聯日在所急,電藉重大名,彼邦動色。」[76]

這時孫中山訪日的目的之一,是與日本結盟以遏制俄國的擴張勢頭。日本政府拒絕與孫中山交往,除了考慮孫、袁平衡外,避免捲入中俄外交糾紛可能也是重要原因。訪日不果,孫中山並未放棄初衷,11月16日,他電告袁世凱:「華日聯盟,大有可望,假以半年至一年之時,當可辦到。故俄蒙之約萬不可承認」[77]。

由上述事實可知,1. 孫、桂會談其實早有聯繫溝通,雙方大體瞭解對方的態度和底牌。2. 孫中山與桂太郎交往,主張共鳴而外,至少含有爭取外交承認、爭取對革命黨的支持以及以日制俄三個策略因素。作為交換條件的共同開發滿洲,可以起到遏制俄國的作用,解救燃眉之急。與早期的出讓說、1912年初的租借說相比,更能體現孫中山策略靈活性的伸縮。實際上,滿洲問題是孫中山與日本人交往的一大關鍵,以此不僅能夠爭取條件苛刻的外援(主要在早期),更可以作為令日俄互相牽制的籌碼,從而抵消外力。而日本人對華態度的差異,也可由此鑑別。這種策略考慮,對於戴季陶接受孫中山的判斷主張,恐怕至關重要。

當然,戴季陶對日觀的轉變,前後也有相互聯繫的因素。就直接因素而言,其一,1912年11月日本議員訪華及日本首先承認中華民國說傳出後,戴季陶儘管懷疑日方的誠意,也開始談論中日同文同種,希望兩國「互相提攜,為東亞大同盟之起點。」[78]其二,他雖認定日本政府方針難以改變,對民間知識界工商界的某些代表人物卻有好感。如稱澀澤榮一為「不可多得之人物」[79],對有賀長雄、山專太郎

76 陳錫祺主編:《孫中山年譜長編》上冊,第746頁。

77 《孫中山全集》第2卷,第542頁。

78 《日本議員觀光團之態度》,《民權報》1912年11月9日。

79 《珠璣沙礫》,《天鐸報》1910年10月24日。

等專家學者及一般民間人士有所寄望，對訪華的日本議員也寧肯信其善意。其三，他曾一再斷言日俄會聯手侵華，並指桂太郎為「主張親俄主義者」，認為1912年7月桂赴歐與俄國簽訂密約，雙方達成同盟默許，是導致外蒙獨立的根本原因，批評國人「注意於蒙古與俄國，而絕乏注意及此至可懼可畏之大敵為日本者」[80]。而庫倫事件後，日本並未趁機進佔內蒙，使其相信日本確有講求東亞黃種共同利益之人。後來他說：「以言洞明世界大勢，具有政治手腕，桂太郎的確是人才。」[81]

就長久因素而言，戴季陶始終認為內政優先於外交。日本人謀己國利益，正是其愛國的表現。對此中國人不應停留於指責仇視和悲懼交加的情感表達層面，應起而仿傚，生愛國之心，「強兵以拒外，修己以服人」[82]。實力不具，勿輕易言戰，而要充分利用外交手段以折衝。因此他希望說服日本當局，或日方自覺，改變大陸政策，實行南進的海上開發，這樣中日關係便可暫時協調，相安無事。

無論如何，經此一變，戴季陶的日本觀已具備後來定型的基本要素。此後，他從各方面深刻揭示日本侵華的必然，卻不能恰當把握中國自身內政與外交、民權與國權兩難取捨的尺度。儘管其日本觀中包含本人看法和他人影響，具有根本定見和權宜考慮等複雜因素，一方面客觀上助長了日本的侵華野心，另一方面激起國民的強烈不滿，作為實際主事者，理應承擔主要責任。

80 《征蒙與拒俄》，《民權報》1912年10月29-11月3日；《日俄與內外蒙古》，《民權報》1912年8月9日。

81 《最近日本政局及其對華政策》，上海《民國日報》1917年12月3日。

82 《大國民當學小國民》，《天鐸報》1910年11月28日。

《戴季陶文集》與戴季陶研究

1990、1991年，《戴季陶辛亥文集：1909-1913》、《戴季陶集（1909-1920）》分別由香港中文大學出版社和華中師範大學出版社出版，前者為全錄，後者為選編，在力所能及的條件下，彌補了以往這一時期有關戴季陶文獻的主要缺漏。茲承野澤豐教授指示，就為何研究戴季陶？文集編輯過程中遇到和解決了哪些問題？以及戴季陶的日本觀等問題略陳所見。野澤豐教授是前輩，對編輯工作曾給予幫助，所以恭敬不如從命，藉此機會，表達個人的一些看法，以就教於海內外同仁。

一　戴季陶其人

選擇戴季陶為研究對象，原因不外有三，其一，戴是中國近現代史上至關重要的人物。其二，由於各種原因，無論海峽兩岸還是海外學人，對他的研究都很不充分。其三，原來制約研究的因素目前已經開始發生變化，但尚未徹底改觀，因而研究本身具有一定的難度和挑戰性。

隨著社會科學的影響日益擴大，當今史學發展趨勢中，人物研究逐漸趨於邊緣化，而社會群體史的研究越來越成為主導。從世界範圍看，19世紀中葉以來，歷史學突破了政治史和英雄系列的框架，正統精英主宰社會命運的神話已被打破，歷史舞臺不再是少數人活動的專利，民眾的思維行為日益成為研究的主要對象。第二次世界大戰後，這樣的趨勢愈加明顯。1980年代初黃宗智教授曾介紹說，在美國攻讀中國歷史的博士研究生當中，無力駕馭重要課題而又想順利拿到學位的人，才選擇人物傳記作為終南捷徑。受此影響，個人也以晚清學堂學生和近代大眾傳媒為題，力求通過群體或多數人的思維行為，來測量社會變動的幅度、速度和程度，並找出各種力源及其互動形式。

然而，歷史畢竟有人文的一面，人物研究始終是其中的重要組成部分。近代以來，在西學入侵，中體動搖之下，學術研究常常是順著潮流甚至跟著感覺走，外來影響逐漸反客為主。而歐美的中國史研究在觀念方法、問題意識乃至服務對象上，都難免西方中心至上。中國自己的史學在古史和晚近史的研究領域又明顯地深淺有別。歐美近代史學要打破英雄史觀，社會原因以外，學術動因之一，是以英雄偉人為軸線的政治史、宗教史研究已經相對飽和，必須擴展視野以保持學科的活力。[1]而中國古史研究也經歷了歷代學人的積累，尤其是清代到20世紀前半中國學術重心由經入史的努力，做了大量的史料搜集整理與考訂鑑別工作，為深入研究有關歷史奠定了堅實的基礎。至於中國近現代史的研究，則起步晚，長期受社會和政治需求的推動，在滿足其它功能的同時，學術本身的貢獻往往注意不夠。在1981年的一次太平天國史研討會上，一位參與《光明日報》史學版編輯的學者聲稱，「文化大革命」前該版刊發的文章，如今檢討，70%沒有學術價值。時過境遷，原有的社會價值不少也轉為負面。前車可鑑，後學者不得不考慮如何才能避免重蹈覆轍。

在基本史料未經長期廣泛地系統搜集和整理的情況下，1950至1960年代編輯出版的一批資料叢刊，既帶來便利，也提供了捷徑，使

---

1 歐美學術也有其新趨與正統，猶如藝術領域的先鋒與主流，前者雖然帶來活力，但要在後者的基礎之上並最終影響主流。近代中國學人易為前者的新奇所惑，而難以掌握後者的厚重。如果沒有本位的基礎，勢必多變而不實。

不少學人將目光轉向近代史。由於編輯帶有一定的模式框架，對研究路徑產生導向制約作用，一些訓練不足的學人想當然以為近代史料易於解讀，忽視進一步地發掘鑑別和融會貫通，觀念上又受所謂以論帶史的誤導，違背起碼的研究程序，不從瞭解學術史開始，從讀書和搜集整理史料入手，而是主觀先行立論，再找材料填充。在缺乏正常的學術評判制約機制的情況下，大量重複勞動使成果數量急劇增長，而整體品質難以提高，不僅損害學術的現狀，而且產生長遠廣泛的負面影響。

其實，只要認真閱讀基本史料，就不難發現，中國近現代史的研究存在著粗糙、狹窄和概念化的弊病，許多史實主要依據回憶錄支撐，舛錯、牴牾、模糊不清之處比比皆是。誠然，歷史描述的精確性總是相對而言，但簡單錯誤的數量愈多，表明研究的潛力愈大。即使政治史，研究的深度也遠遠不夠。此外，中國社會長期存在大小傳統的並存互滲，一脈相承的正統精英文化對於地方社會具有與生俱來，如影隨形的影響，很難離開上流觀察下層，排除中央認識地方。因此，在注意群體與社會史研究的同時，對於成果不少的政治史和人物研究應當充分重視。可以說，中國近現代史研究的大多數領域仍有再下功夫的必要，做什麼的問題遠不如怎樣做重要。

在普遍考察的同時，對於重要人物和事件更應傾注心力。倒不是說重要人物對歷史發展的作用大於常人，而是基於如下考慮：重要人物往往親歷各種關係社會發展的重大事件，其思想活動能夠集中反映社會矛盾的展開和時代變遷。通常說某人的一生濃縮著那個時代的歷史，就是此意。戴季陶的經歷顯示他便屬於這類人物。

戴季陶原名良弼，字選堂，又名傳賢，字季陶，號天仇，晚號孝園，還用過許多筆名法號。他祖籍安徽休寧，後遷往浙江吳興，高祖時遷居四川廣漢。幼年讀過私塾，11歲參加科考，以後進入新式學堂，1905年又到日本留學，一直讀到日本大學法科肄業。那時的留日學界，是中國各種政治勢力活動的中心。戴季陶雖然沒有加入任何政治組織，卻出席過不少大型集會，擔任過同學會會長。歸國後，他短期執教於蘇州，隨即到上海進入新聞界，先後在《中外日報》、《天鐸報》任筆政，同時為《民立報》撰稿。這使他看到了輿論的威力，後來他把報館集中的上海四馬路望平街稱為「中國真正之都城」，認為報館是「真正之政府」[2]，一切社會變化均由此而生。而他本人正是其中健將，「天仇」之名隨著報紙的發行而聲名鵲起。1911年，戴季陶因鼓吹激進變革，抨擊當道而遭清朝地方官府緝捕，亡走南洋，任職於《光華日報》，並加入同盟會。

武昌起義後，戴季陶一度參與同盟會的北方舉義，不久回到上海，參與創辦《民權報》，又擔任孫中山的秘書，從此進入政治核心的圈子。他率先揭露抨擊袁世凱的野心，投身於二次革命，失敗後隨孫中山亡走日本，組織中華革命黨，任浙江支部長，參與編輯《民國》雜誌。袁世凱倒臺後，他又協助孫中山發起護法運動，歷任廣州軍政府法制委員會委員長、大元帥府秘書長、外交部次長。五四運動興起，他對勞工運動表示同情，在所主辦的《星期評論》上開展討論，協助孫中山創辦《建設》雜誌，將中華革命黨改組為中國國民黨，同時研讀早已有所接觸的馬克思學說，主張以階級調和為基礎的社會主義，還一度參與上海共產主義小組的籌備活動，與陳獨秀等人多有聯繫，後中途退出。

孫中山實行聯俄容共政策，戴季陶則反對加入國民黨的共產黨員保持雙重黨籍，對國共合作明顯有所保留。在孫中山的一再催促和廖

---

2 《祝〈晨報〉周歲》，陳天錫編：《戴季陶先生文存》第1冊，臺北，中國國民黨中央委員會，1959年版，第34頁。

仲愷的反覆勸說下，他雖然勉強出席了國民黨一大，當選為中央執委、常委、宣傳部長，以後又兼任黃埔軍校政治部主任和大本營法制委員會委員長，但態度消極，曾兩度辭職跑到上海。1925年孫中山在北京病危，戴季陶是九位遺囑簽證人之一。

孫中山逝世後，他主張思想上與共產主義劃清界限，政治上反對國共合作，支持蔣介石的「4、12」政變，並為其政權建立綱紀而呼籲。此後，他歷任國民黨中常委、宣傳部長、訓練部長、政治委員、國民政府委員、考試院院長等要職，全面建立國民黨統治的思想體系和各項法規。「9、18」事變後，他出任國民政府特種外交委員會委員長，專議對日事宜，提出以抱定國際聯盟為主要方針的建議，力主對日妥協，成為國民政府的國策。抗戰期間，他逐漸離開權力中樞，政治上的作用與影響日益淡化，較多擔任教育、文化等閒職。1949年因服用過量安眠藥死於廣州。

綜上所述，1905至1931年間，戴季陶幾乎始終生活在中國政治漩渦的中心，各種重大事件均可見到他的身影，而他擔任的各種要職，也表明其實際地位的重要。中華民國在大陸的歷史，缺少對戴季陶的認識，不可能說得清楚。就此而論，戴季陶的地位主要顯示在三個方面。第一，他是國民黨領導集團的核心成員。早在孫中山時期，他就是其周圍的少數非粵籍要人之一。在長期追隨過程中，他既受到孫中山的影響，也對孫中山有所影響，兩人在思想、政治上的聯繫密切而複雜。通過彼此對待各種事件的分歧與共識，可以印證各自的觀念和宗旨。以後他又和另一要人蔣介石成為與江浙集團聯繫的橋樑，是國民黨權利中心由孫向蔣過渡的關鍵人物。戴季陶與蔣介石的關係極為密切，超逾常人。1930年代後戴季陶在政治舞臺上淡出，並非權力角逐失勢。

第二，思想文化上影響巨大。近代中國的思想流派林林總總，但以主義名家者不過兩人，一是孫文主義，一是戴季陶主義。前者為其所鼓吹和宣傳，後者則是他人賦予這位以孫文主義正宗傳人自居者的「美譽」。戴季陶一手將三民主義神話，經他解釋和宣傳的三民主義，長期成為國民黨政權的統治思想，戴季陶主義實際上也就是蔣介石政權的思想基礎。不瞭解戴季陶的思想，很難深入認識蔣介石的國民政府。此外，戴季陶歷任多間名報館的筆政，「天仇」的聲譽名噪一時，他又長期主管國民黨的宣傳、教育、考銓等事，在對外文化交流、邊疆建設和宗教活動中扮演重要角色。

第三，近代中國與列強的關係具有特別的重要性，尤其是與日本、俄國及英美的關係，而國民黨執掌全國政權時期，與日本的關係又是其中最為重要的方面。戴季陶作為國民黨內有數的國際問題專家，是對日決策及其主導思想的主持制定者，對國民黨的對日態度有著重大影響。

戴季陶的重要性無庸置疑，但重要人物往往是學人關注的焦點，多人用功使得選題很難保持充足的潛力。戴季陶研究則不同，他在海峽兩岸均屬於問題人物，因而成為學術領域的棘手難題。戴季陶堅決反共，消極抗日，又全力推行三民主義的禁錮式黨化教育，不僅共產黨對其深惡痛絕，採取一概罵倒的批判方式，一般從國民政府時期過來的知識人對其黨棍兼學閥的形象也嗤之以鼻。1980年代以前，除少數幾篇批判或介紹文字外，學術研究在這方面幾乎是一片空白。許多大學和圖書館將有關的著述資料置於特藏室，僅供批判。借閱手續的繁瑣和諸多限制使得研究自然成為難以逾越的禁區。

在國共雙方尖銳對立的情況下，一些在此地被打入另冊的人物在彼岸卻炙手可熱，但是戴季陶研究在海峽另一邊似也頗受學人冷落，多年來只有陳天錫所編《戴季陶先生編年傳記》（臺灣中華叢書委員會1958年版，1967年增訂再版）和《戴季陶先生的生平》，以及王更生所撰半通俗傳記《孝園尊者——戴傳賢傳》和一本青少年讀物《智仁勇的典範——戴傳賢的故事》，均由黨史會包辦，很難說是嚴格意義的學術著作。臺灣中研院近代史所同仁著作中，到1990年止，只有陸寶千、黃福慶各寫過一篇文章，前者為《戴傳賢先生評論——由事功思想衡定戴傳賢的歷史地位》（《中華民國歷史與文化討論集》，中研院1984年版），後者為《論中國人的日本觀——以戴季陶的日本論為中心》（《中研院近代史所集刊》第9期，1980年7月）。另外出版過一些諸如戴季陶與考試院之類的專題著作。與地位相近甚至稍遜的同時同類人物相比，對戴季陶的研究與其身價極不相稱。

一些在兩岸不能暢所欲言和秉筆直書的人與事，順理成章成為海外學人的專利，但戴季陶還是境遇不佳。如果說海峽兩岸忽略戴季陶研究還有政治障礙，那麼制約海外學人的要因，則是資料的局限。雖然日本學人對於五四前後的戴季陶及其日本觀等問題不乏佳作，總的來說，關注面仍限於局部和片段。而且因為對戴季陶的思想活動缺乏全面瞭解，即使就事論事，也不易恰如其分。

有些關鍵人物的言行本身就是釐清歷史發展線索和破解謎團的鑰匙，他們不僅在一個短時期或具體事件裏扮演重要角色，而且親歷一個時代的幾乎所有大事，並在其中發揮重要作用和影響。在一本深刻詳實的慈禧太后傳問世前，中國近代史的研究，即使從政治史的角度看，也遠遠沒有見底。不過，人物愈是重要，後來附加於史實之上的成分愈多，研究的難度愈大。受正統史學觀念的影響，人物研究至今仍然自覺不自覺的使用忠奸正邪之分的簡單化處理方式。其實，是非功過是最基本也最籠統的判斷尺度，根本不能反映歷史的複雜性。學人應當致力於改變研究對象的重要性與研究狀況之間的不相稱不協調，而非簡單地正反定性。史學的生命在於求真，將大大豐富於主觀想像的複雜的真實揭示並展現出來，不僅需要艱苦的用功，而且是對智慧的極大考驗。

進一步說，人物研究上手雖易，做好卻極難。研究某一人物，不過是藉此找到進入社會歷史的門徑或基點，要想恰當認識和論述其思維行為，須對相關的一切人物事件、典章制度、風俗習慣、禮儀人情、相互關係等等，均有全面而深入貼切的瞭解。更有甚者，思維的層面最難徵實，人物研究卻避無可避，如何才能深入本心而不加附會，須在博覽群書之上有入木三分的見識。或謂學人才智若在研究對象之下，又不能以對象同類的觀念意識反諸其身，則所論大抵非皮相即臆想。重要人物歷經大浪淘沙而凸顯歷史畫面，無論大智大勇還是大奸大惡，或明君，或良相，或能臣，或名士，或奇人，或梟雄，甚至幾朝元老的政壇不倒翁，無不是出類拔萃之人，其心計的繁複縝密，不僅弄人於掌股之上，令當局者迷，也常常使自以為是的研究者大上其當。

主觀願望還須依賴客觀條件。前此戴季陶研究的欠缺，很大程度受到條件的限制。有關戴季陶的資料，分散於日本、臺灣和大陸，沒有各方面的通力合作，難以進行。陳天錫窮多年之力不能搜集完整戴季陶的文字，便是明證。而日本方面保存的資料，多為片斷，在中國本土資料的發掘研究尚未展開的情況下，不易充分顯示其價值和意義。同時，海峽兩岸互相敵對的形勢，使雙方對兩黨要人的研究很難進入學術化的軌道，嚴肅的學人不願虛耗精力在諸如此類有政治功用而缺少學術價值的課題之上。1980年代以後，兩岸情勢和相互關係發生了明顯變化，內部環境改善，相互交流增多，使得戴季陶研究具有良性的客觀條件。適時介入，通過主觀努力引起海內外學人的關注，互相促進，無疑會推進相關研究的深入和擴展。

二　文集的編輯

和一般學術研究同樣，研究人物的起點，也是總結前人成果和搜集整理史料。

戴季陶當年是有名的才子，運筆如風，文思泉湧。《民權報》時期，有時一天要寫幾篇報導評論，常常是邊採訪邊寫作。他又經過較為系統的西學和國學教育，鑽研過佛學、法學、哲學、經濟學、政治學、文學等，在上述領域發表過不少長篇專論，因而一生著述極為豐富。其文字除隨時刊諸報紙雜誌外，很早就結集出版。有關其文集的編輯出版情況，以1949年為界，大體分為前後兩期。前期從1912年的《天仇文集》開始，可查實的至少有專集和專著21種，與他人合集2種，詳如下列：

1 《天仇文集》，上海，《民權報》發行部1912年11月。
2 《中華民國與聯邦組織》，上海，中國圖書公司1914年7月。
3 《中國獨立運動的基點》，廣州，民智書局1925年8月。
4 《季陶小文集》，廣州，民智書局1925年8月。
5 《季陶論文集》，廣州，民智書局1925年8月。
6 《日本革命的過去現在與將來》，廣州，民智書局1925年8月。
7 《商會制度之改革》，廣州，民智書局1925年8月。
8 《孫文主義哲學的基礎》，廣州，民智書局1925年8月。
9 《國民革命與中國國民黨》，1925年7月。
10 《戴季陶先生最近講演集》第1編，何思源整理，林霖等筆記，國立中山大學事務管理處出版部1927年1月。
11 《青年之路》，上海，民智書局1928年2月。
12 《日本論》，上海，民智書局1928年4月。
13 《戴季陶講演集》，上海，新生書局1928年5月。

14《黨國要人戴季陶最近言論集》上下編，上海，大東書局1928年11月。

15《戴季陶言行錄》，時希聖編，上海，廣益書局1929年6月。

16《戴季陶集》上下卷，上海，三民公司1929年11月。

17《關於西北農林教育之所見》，《孝園叢書》之一，南京，新亞細亞學會1934年7月。

18《戴季陶最近言論》，廣州，國立中山大學政治訓育部宣傳部編印，1927年。

19《戴先生三民主義講演集》，王貽非選編，南昌，江西省三民主義文化運動會1941年。

20《學禮錄》，重慶，正中書局1945年5月。

21《戴季陶先生的文存》，中國革命書店發行。

22《西北》，中國邊疆叢書之一，南京新亞細亞學會1931年10月，收戴季陶的文章5篇。

23《孫文主義討論集》，陸友白編，收戴季陶文章3篇。

以上各書篇幅一般不大，字數較多的是：《季陶論文集》20萬字，《天仇文集》20萬字，《戴季陶集》27萬字，《青年之路》15萬字。有些文章係重複收錄。編輯出版的目的，主要是政治宣傳和思想教育。

1949年後，中國大陸幾乎沒有開展對戴季陶的研究，也未注意搜集整理和出版有關資料。目前所見。只有1983年1月中國人民大學出版的《戴季陶主義資料選編》，封面題由該校中共黨史系中國近現代政治思想史教研室編，書中的「說明」指出由林茂生、林章惠編輯，是從1949年以前出版的13種文集、專著以及《星期評論》中選錄48篇與戴季陶主義有關的文章，共27萬字。注明為校內用書，目的在於批判，印數僅850冊。

臺灣方面，長期擔任戴季陶秘書的陳天錫從1954年至1962年，以九年之功從事搜討，先後編輯出版了《戴季陶先生文存》（1959年3月版）、《戴季陶先生文存續編》（1967年5月版），共277萬字。其中後者本來有127萬字，適逢孫中山誕辰百年慶典，將大部分分別編入《革命先烈先進闡揚國父思想論文集》和《革命先烈先進詩文選集》，餘下的才單獨成書。次年又出《戴季陶先生文存再續編》。1970年戴季陶八秩初度冥誕，陳天錫在鍾貢勳等人協助下，搜得佚文共12萬字，連同紀念文字輯為《戴季陶先生文存三續編》（1971年10月版）。後來黨史會還出版過《戴季陶先生墨蹟》一冊。

儘管陳天錫編輯的文存各編多達290萬言，限於條件，仍有不少缺漏，尤其是早期文字。

關於戴季陶檔的自藏情況，1947年2月26日，他曾致函國民黨中央黨史史料編纂委員會，答覆其要求借展史料一事，函謂：

> 「賢所藏史料，約可分為三期，最初因辛亥春江督張人駿名捕，曾盡焚之，隻身走檳榔嶼。厥後關於往來奉、魯、滬、寧間籌畫關外軍事，及民元任國父機要秘書時所藏之函札，因五年五月英士先生被刺，在滬同志，均各自警戒，亦付諸火。自是而後，直至二十六年，經整理收藏有關黨國大事之函札文獻，不下數百萬言，因西遷時未曾攜出，復與湯山之望雲書屋同燼。」[3]

陳天錫在文存序言中也說：「先生述作，民國二十年前，除已出版者外，鮮有存稿。二十年後所作，始囑裒錄，原名孝園文稿。前乎

3 陳天錫編：《戴季陶先生文存續編》，臺北，中國國民黨中央委員會黨史史料編纂委員會，1967年版，第246頁。

此者，多付缺如。」由於戴季陶本人生前「亦囑勿搜輯」，所以編輯文存時「前乎此者，有文則錄，不及搜求。」[4]只是增補了「得自劫灰之餘」的1928至1930年間的演講稿30餘篇。[5]前此出版的各書及考試院批牘，因經費關係及搜求需時，均未編入。

文存出版後，引起兩方面的批評，一謂：

「先生早年文字，風動一時，雖至今日，實有存在價值，且由此既可以窺見先生當年之思想識解，即其時社會國家世界之情況，往往有所論列。撫今追昔，亦有以知其變遷遞嬗，當為有志研究近代史者所不能忽視。」

一謂：

「先生在民國十四五六年間，印行之《孫文主義的哲學基礎》、《國民革命與中國國民黨》、《日本論》、《青年之路》等名著，本書悉未收入。雖因曾經出版之故，而歷時已久，覓取不易，亦實有匯集於一，藉便閱覽之需要。」

為此，陳天錫於退休之後，專心事於窮搜，從《民權報》、《民國》雜誌、《建設》雜誌、以及各種書刊、檔案、存稿中收得76萬6千餘言，加上已出單行本的5種著述共51萬言，再出續編。「然則先生所作已盡於此乎？但民國七年主辦之《星期評論》，迄無發現，所遺者當不在少；又況在先生著述中，明知有篇目而未見其文字者，尚有多

4 陳天錫：《戴季陶先生文存續編・序言》。

5 陳天錫編：《戴季陶先生文存續編・編例》。

篇。此外在民前上海《中外日報》、《天鐸報》、《民呼報》，民六以後《民國日報》等之寫作，篇幅頗為不少，亦概無所見，自不得謂為已竟其事。然在此時此地，亦既竭其心力，不再有得。伺候賡續之役，其有待於收復大陸乎？」[6]這種缺憾，到文存三續編時，亦無根本改觀。

海峽彼岸的局限，既有資料的限制，也有認識的偏頗。以《天仇文集》為例，該文集輯錄了戴季陶1912年3月至10月發表於《民權報》的文章，於1912年12月出版，而戴季陶任《民權報》筆政，直到1913年7月，總共發表各類長短文章364篇，《天仇文集》僅收錄了其中的162篇。不僅1912年11月以後發表的完全付諸缺如，在此之前的文字也大量失收。陳天錫從1912年7月至11月的《民權報》即已查出10篇佚文。據他說：黨史會所有的《民權報》「並非全幅，集中收入諸篇，多數不在存幅之內」。所以，對《天仇文集》所收錄的162篇，能夠確定日期的只有26篇。其中丙篇「單刀直入」所錄115篇短評，均發表於7月以前，因而皆不能定其日月。

陳天錫稱此類文字「一望而知其為一時激昂憤慨作品，先生中年時期，即嘗憬悟此類著述，於國家社會，不能又良好影響，屢見於語言文字，表示懺悔。為體先生之意，所有丙篇之名及其附屬短評，概不編列。」[7]其實，後人編集，不必完全遵從集主意志。否則，以戴季陶本人之見，《孝園文稿》之外，不必另行搜集，文存的續編、三續編已經違背其意旨了。從研究的角度考慮，文集應當力求完備。

細察文存各編，缺漏最多的是1920年以前的文字，特別是辛亥革命前後，除《天仇文集》以及幾封關外軍事行動的通信外，完全失

---

6 陳天錫：《戴季陶先生文存續編・序言》。

7 中國國民黨中央黨史史料編纂委員會編印：《革命先烈先進詩文選集》第4冊，第6頁。臺灣另有《天仇文集》單行本再版。

載，編輯自應由此入手。其中1914年以後的部分，因《民國》、《建設》等雜誌的文字陳天錫已收錄大部，上海《民國日報》和《星期評論》則有影印本，署名比較明確，已為海內外學人加以利用，輯錄並非難事。另外又從上海《時事新報》副刊《工商之友》和《黑潮》雜誌中查到個別佚文。至於1913年以前的部分，則大費周折。

1910年以後，戴季陶擔任過多家報館的編輯記者，又在多種報刊上發表文章，查實並找到這些報刊，才能編好文集。由於清末民初的報刊存留有限，而且年代久遠，紙質已脆，許多圖書館概不借閱。大陸收藏清末民初報紙較多的上海徐家匯藏書樓和北京報庫，均不提供原本。中國社會科學院近代史研究所則每周只對所外人員開放兩個半天。一些原來使用較為方便的地方圖書館，近年來也規定民初以前的報刊不予借閱，個別即使準借，複製時也要加收數倍磨損費，而且時限不斷下移，費用不斷增加，研究者難以承受。幾家大圖書館正聯合將一些借閱率較高或保存價值較大，而一時又無法影印出版的報刊製成縮微膠捲，可是進度緩慢，閱讀器又不足，使用極為不便。查閱《民權報》時，北京圖書館報庫雖已將全報製成縮微，無奈閱讀機只有4臺，讀者眾多，只好每天清早趕往輪候。幸而北圖可將膠捲影印還原，只須記下篇目，即可獲取全文，收費也還相宜。《天鐸報》因為正在趕製縮微，原報已不外借，多次交涉，最終達成協議，由編者查閱篇目，由該館工作人員代為抄錄。

難度最大者屬《中外日報》，幾家收藏的大圖書館均殘缺不全，連續查找數處，不巧都缺戴季陶任筆政的那一段。後來得知某大學圖書館藏有那一時期的《中外日報》，前往接洽，館方卻拒絕查閱。輾轉請託，才達成協議，編者提供戴季陶可能使用的各種筆名，由該館人員代查抄錄，共收得長短文47篇（其中殘稿2篇）。不過，該館所藏《中外日報》始於1910年8月，而戴季陶離開蘇州到上海在是年春間，則8月以前仍有缺漏。希望高明指點，使遺珠來歸。另外，戴季陶1909年從日本歸國後，一度任教於江蘇地方自治研究所，1910年春，因撰文評論清廷憲法大綱，遭藩司嫉視，避走滬上。這是戴季陶投身政治的開端，也是其思想轉變的重要契機。但該文的內容如何，刊於何報，一直知之不詳。編輯時在蘇州圖書館所藏《江蘇自治公報》第8至15期發現戴季陶的連載文章《憲法綱要》，了此公案。

戴季陶一生使用過許多筆名別號，一些為人們熟悉，一些則鮮為人知。如果不能確定，即使找到有關報刊，也無從判斷其中哪些文章出自戴的手筆。例如其留日同學謝鍵回憶，戴季陶在日本期間常以「散紅生」的筆名發表小說，也有人說戴在《中外日報》使用過「散魂」的筆名。據查，戴季陶在《江蘇自治公報》、《中外日報》、《天鐸報》均用過「散紅」，同時，從《中外日報》時起，開始用「天仇」的筆名，直到《民權報》時期，才專用「天仇」。尚未發現署名「散魂」的作品。

許多人稱戴季陶在「前三民」即《民呼日報》、《民吁日報》、《民立報》上發表過文章，究竟係哪一家，發表何文，則語焉不詳。陳天錫等人在文存續編、三續編中指為《民呼》、《民吁》，但兩報分別刊行於1909年5月15日至8月14日和10月3日至11月19日，當時戴季陶還在蘇州任教，可能發表文章的應是1910年10月創刊的《民立報》。然而遍查該報，找不到已知各種署名的文章。仔細閱讀之下，發現一篇署名「泣民」的《病禪記》，所記恰與戴季陶的經歷心境相吻合，從而推斷「泣民」也是戴的筆名，進而找出《人道主義論》、《世界國民論》、《中國之資本問題與勞動問題》、《托爾斯泰先生傳》、《葡萄牙共和始末記》、《社會主義之大活動》等6篇佚文。同時證實，戴季陶信佛由來已久，對社會主義也早予關注。

1917年，戴季陶奉孫中山之命東渡，探詢日本朝野各方對護法的態度，歸國後寫成《最近之日本政局及其對華政策》一文，於1917年12月13日至1918年1月24日連載於《民國日報》上，署名「商孫漫記，雲巢道士增刪」,「雲巢道士」所志按語稱：

> 「商孫者，久居彼邦，詳究其各界之內幕，回國後常以之為留心時局者談。聞者隨意，而談者太苦，予因勸其筆之於篇，以供國人之參考。文既成，予詳閱之餘，復為之類次標題，加以評點，請於予友楚傖發表之。」

此文作者，應為戴季陶，後來他寫《我的日本觀》時，曾明確記到:「前年在《民國日報》的上面，登過一篇連載四十天的文章，也不過是略略批評一點日本最近的證據和他們十年來的『親善政策』，離『日本』這個題目還是很遠。」[8]「商孫」即戴季陶或為其虛擬。「雲巢道士」有二解，一謂戴本人假託，實即自作。雲巢山位於戴季陶的老家湖州,《天鐸報》筆禍起，他曾一度避居於此，與山中道士為伍。據稱當地道觀實為湖州紳士階級的養老院。[9]一則另有其人。戴季陶師友中有號「雲巢先生」者，1920年戴季陶三十初度時，曾賜以「本乾」之名，又贈以序，或即此人。[10]

編輯過程中，先後查找了北京圖書館、北京大學圖書館、中國科學院圖書館、北京師範大學圖書館、中國社會科學院近代史所資料室、上海圖書館、南京圖書館、蘇州圖書館、南京大學圖書館、中山

---

8 《建設》第1卷第1號，1919年8月。

9 《到湖州後的感想》，中國國民黨中央黨史史料編纂委員會編印:《革命先烈先進詩文選集》第4冊，第553頁。

10 《五十初度錄雲巢先生贈序銘座右附志》1940年1月16日，陳天錫編:《戴季陶先生文存續編》，第284頁。

圖書館、中山大學圖書館、中山大學孫中山研究所資料室、華中師範大學圖書館、華中師範大學歷史研究所資料室等，力所能及地將掌握的線索一一落實，並設法發現新線索。《戴季陶辛亥文集》中，除《民權報》部分《天仇文集》已收錄的20萬字外，其餘614篇共80萬字為首次結集出版。鑑於有關報刊的利用日益困難，當時的編輯工作尚能順利進行，實屬萬幸。

1909至1920年，是戴季陶政治生涯中最具影響的20年的前半，兩部文集的出版，可以為清末民初的政治風潮、民主政體建設、二次革命、中華革命黨及中國國民黨的活動、社會思潮與社會狀況、傳播媒介等一系列問題的研究提供重要史料。由於戴季陶長期跟隨孫中山，許多文字還可以直接間接地反映孫中山及其它相關人物的思想言行。如孫中山任鐵路督辦時，戴季陶擔任其黨政機要秘書，每天早上8時即到孫中山的寓所，「敬聆講授建國之道，並奉命記之，百餘日間，成《民國政治綱領》及《錢幣改革要義》兩書，凡數萬言。」[11]前者以《民權報》增刊的形式發表，題為《民國政治論》，實際上全面表述了孫中山的政治觀念和主張。可惜《錢幣改革要義》一文雖多方查找，迄未發現。戴季陶一再強調此文的重要，希望識者有以指教。

限於條件和學力，文集仍留有一些缺憾。其一，日本方面的資料。戴季陶留學日本期間，喜歡寫小品文和小說，並將小說以「散紅生」的筆名發表於日本的報刊。[12]以後他又多次訪問日本，與許多日本人士保持密切聯繫，有不少文章或談話刊登在日文的報刊上，還留下許多函札。此外，日本政府的有關檔案存有戴季陶在日活動的監視記錄。上述資料雖經努力搜集，難以如願以償。其二，戴季陶曾在檳

11 《宋子文先生五旬晉二壽序》1945年12月，《戴季陶先生文存》第1冊，第1444頁。
12 謝鍵：《戴季陶先生文存・序言》。

榔嶼《光華日報》擔任數月筆政，理應留下不少文字。雖然查找到該報，可惜所存只到1911年8月，而且所有文章均無署名，無法判斷作者，只好空缺。其三，第二歷史檔案館藏有戴季陶的個人檔案，包括日記、函札等，因暫不外借，無可奈何。至於1920年以後的文字，文存各編之外，仍有大量遺漏，如《亞細亞》雜誌所刊，文存收錄僅及其半，將來可以繼續搜集補充。

除了戴季陶本人的著述，關於他生平活動的各種記載對於研究也至關重要。臺灣出版的一套戴季陶生平傳記資料，收集了大量回憶錄，文存三續編中有一半的篇幅是紀念專文。大陸出版的各種文史資料和若干專題資料中，多有涉及戴季陶的活動，還有一些極具史料價值的未刊稿。其內容有所重複，人事時空均有紊亂，須與其它資料相互印證。戴季陶對待社會主義的態度，與三民主義的關係等，涉及國共雙方許多人，事後回憶出入很大，難以徵為信史。弄清人物的活動，是理解其思想的必要前提。從戴季陶的日本觀入手，可以進一步分析探討有關問題。

三　日本觀

戴季陶的日本觀是前人研究的重點，取得的成績也較為突出。戴季陶的《日本論》，被認為是近代中國人所寫日本論的三白眉之一，與黃遵憲的《日本國志》，周作人的散文集鼎足而立，甚至譽為其中最好的一本。問世以來，已有多種日文譯本。但是，在國人內部的反應卻差若天淵。出版之始，在國民黨上層和知識界的部分人士中還博得一些好評，很快就隨著戴季陶處理「九一八」事變時的妥協退讓，而為民族情緒空前高漲的民眾所棄置。直到1970年代，臺灣大學政治系許介鱗教授撰寫《近代日本論》時，還坦言其目的是一箭三雕。

「所謂三雕，就是第一戴季陶的《日本論》，第二林房雄的《大東亞戰爭肯定論》，第三美國賴謝和所代表的《日本現代化論》。」[13]他對戴季陶的《日本論》，特別是日本方面對戴著的高度評價予以激烈抨擊，認為戴季陶在明治維新、軍國主義、天皇制等日本近代史的關鍵問題上，存在許多錯解，進而找出其論點與林房雄、賴謝和等人的內在聯繫，揭示他們所以受到好評的社會政治原因。

對這一聚訟紛紜的論題很難做蓋棺論定的評判，從文集編輯的角度，就研究方法和資料運用提出意見，或許有助於研究的深入。

戴季陶的《日本論》至少有兩重蘊意，其一，一位近代中國的特殊人物對日本的獨特認識；其二，從中日關係演變史的角度來看待日本，即認識對象是日本，傳播對象卻是國人。因此，既不能單從對日本社會發展的認識深度來評估，也不能視為「總括的代表中國人的日本觀」，更不能靜止和誇大地看待《日本論》所表達的戴季陶的對日觀。

對戴季陶《日本論》的分歧看似對立，仔細體察，認識方法如出一轍，即都將《日本論》視為戴季陶對日觀的恒定表述，忽略了戴季陶對日觀形成、發展、變化的長期複雜過程，以及對此產生作用的各種相關因素，沒有將《日本論》置於這一過程的一定階段加以考察；都從一定的政治或理論立場出發，僅僅依據戴季陶的一兩種相關著述闡述和發揚各自的觀點，忽視了《日本論》也是戴季陶在一定的背景下為特定目的和對象而作，不能涵蓋其對日觀的整體。結果，圍繞《日本論》而展開的爭議，實際上成為各種觀念分歧的延續，對《日本論》的解讀和認識深化，反而沒有多少作用。

---

13 《近代日本論·序論》。該書1979年用日文出版，1987年出版中文本。大陸以臺灣原版叢書總目《誰最瞭解日本》為題，1989年2月由中國文史出版社出版。

戴季陶的《日本論》，是由1919年8月發表於《建設》雜誌的《我的日本觀》增補改寫而成，兩文相較，行文與結構，《日本論》幾乎是移植《我的日本觀》，前14節只是略有增補，15至24節則為後來加寫。而《我的日本觀》又是對1917至1918年發表於《民國日報》的《最近之日本政局及其對華政策》一文的補充。按照戴季陶自己的講法，後者「是關於日本這個題目的一部分，側重於日本最近的政局及其十年來的親善政策」，而《我的日本觀》則著重從歷史文化和社會的角度對日本進行深入剖析。「日本和中國有什麼衝突？為什麼會衝突？衝突點在什麼地方？我前年所著《最近之日本政局及其對華政策》和去年所著《我的日本觀》兩篇文章，自信把這個問題的根底已經解析了許多。並且在那兩篇文章上，把『國際間的日本』的意義，自信也加了一個較為充分的說明。」[14]由於目的各異，《日本論》並未包括《最近之日本政局及其對華政策》的內容。

上述三篇文字，深淺不同，各有側重，均非一朝一夕之功。戴季陶1902年入成都東遊預備學校學習日文，1904年曾在川北中學為日本教習小西三七擔任理科教學翻譯，次年東渡日本。「那時留學生說日語能夠在間壁房間裡聽不出是中國人的留學生，同學中不過三數人，季公尤稱第一。」連一般不接納中國留學生的東京麴町區松濱館主人對他也甚為佩服歡迎[15]。胡漢民說，據宮崎寅藏和萱野長知講，戴季陶的日語說得比他們自己還好。[16]留學期間，戴季陶不大參與政治活動，學習則非常認真。他之所以較少從事政治活動，原因之一，是覺得熱衷於政治的人中不少見解淺薄，品性浮躁。由於修習政法專業，對日本明治維新後的政治和法制建設自然比較關注，讀了不少相關書

14 戴季陶：《滿蒙山東與東部西比利亞》，上海《民國日報》1920年1月1日。

15 謝鍵：《戴季陶先生逝世二週年紀念獻詞》，《戴季陶先生文存三續編》，第290頁。

16 《日本論・胡序》，上海，民智書局1928年版。

籍，加上他與一些韓國僑民及流亡者關係密切，更加注意日本的動向。到上海任記者後，日本及相關問題就成為戴季陶筆鋒所向的重點之一。目前已經搜集到的1920年以前戴季陶的1千餘篇文字中，專論日本問題的長文31篇，短評32篇，附帶論及的41篇。除了《最近之日本政局及其對華政策》和《我的日本觀》外，要全面探討其對日觀的形成發展，至少下列各文應當參考：

《中外日報》2篇：《日韓合邦與中國之關係》，《日本文學之鱗爪》。

《天鐸報》3篇：《片片的日本文學觀》，《日本海軍之新活動》，《日英美之新軍國觀》。

《民權報》9篇：《今日之外交界》，《公道與人道》，《刑罰與人道》，《瓜分之實現》，《四十五年之日本》，《日本政治方針之誤》，《日本議員觀光團之態度》，《日本內閣辭職觀》，《內閣辭職後之日本政局》。

《民國》雜誌1篇：《歐羅巴大同盟論》。

《星期評論》1篇：《東亞永久和平策》。

《建設》雜誌1篇：《世界戰爭與中國》。

《黑潮》1篇：《日本問題之過去與將來》。

《民國日報》4篇：《告日本國民書》，《滿蒙山東與東部西比利亞》，《日本會發生革命嗎》，《對日本遊曆學生的講演》。

此外，短評和附論中，也不乏精彩見解。如1911年3月12日《天鐸報》所刊《排外與親外》一文論道：「排外者，手段也，政策也，利害關係也；親外者，事實也，人情也，世界之趨勢也。吾國之國民，既不能不人人有排外之能力，亦不能不人人有親外之思想。唯能排外，然後可作強國民，唯能親外，然後可作大國民。」這庶幾可為理解戴季陶對日觀複雜性和矛盾性的關鍵。

1920年以後，戴季陶仍不斷發表關於日本問題的著述言論，除文存各編收錄之外，如出版於1925年的《日本革命之過去現在與將來》，以及《日本論》發表前後撰寫的《東方形勢之日本與中國》、《反對日本暴力壓迫與中國國民自強的基本工作》、《日本之對華政策與其政治組織》等重要文章，其中談到認識日本問題的態度與方法，他說：

> 「假使我們要問，日本自有史以來一直到現在，他們的國家是向著那一條路走的，那麼我們可以明白地回答說，日本現在所走的向前進的路，就是日本民族文化來源的途徑。我們明白了日本所走的這一條路子，然後才知道日本對外的政策的根據，然後才曉得日本對於中國傳統的政策的由來。明白這一個道理，其次就可以研究日本現在整個的政治組織是怎樣，以及政治上存在的中心力量在什麼地方。我們能夠這麼去考察，然後才能瞭解日本的真實情形。」

即使在《日本論》問世之後，戴季陶對日本的觀察也沒有就此停止。1940年，他向國民黨中央黨部申請購買1936年以後有關日本問題的各種年鑑、月刊、人事出版物、法令大全、條約匯纂等書刊，聲稱早想著手研究，只是「不欲因買敵國之外匯而中止」，「今年此種研究，已不容再緩。」[17]可見他隨時準備根據形勢的發展變化調整、修改、充實具體的觀念主張。

時序變動而外，還要考慮戴季陶就日本問題發表意見的背景、動機、對象、目的等各種因素。在基本框架形成之後，隨著條件的變

17 陳天錫編：《戴季陶先生文存》第1冊，第377-378頁。

更，表達的重點和方式，也會相應有所改變。如戴季陶從來認為日本及中日關係與列強及東亞全域密切相關，必須瞭解他對各方面相關問題的態度主張，才能準確認識其對日觀。此外，應當特別注意，不要將別人的評論與戴季陶的對日觀相混淆，作為分析與評價的依據。

戴季陶曾向胡漢民徵詢其對《我的日本觀》一文的看法，後者認為文字尚佳，但主觀過重，「好像有心說人家的壞話，人家有些好處，也說成壞處了。」戴季陶佩服此評語「一語道破」。他寫《日本論》，就是想「改正從前偏執成見的毛病，全以平心靜氣的研究。」胡漢民讀後掩卷歎服道：「大抵批評一種歷史民族，不在乎說他的好壞，而只是要還他一個究竟是什麼？和為什麼這樣？季陶先生這本書，完全從此種態度出發。」[18]

然而，這種態度以及由此得出的結論，在不同方面引起的反應大相徑庭甚至截然相反。姑不論各方意見的是非正誤，應當看到，戴季陶在對日問題上扮演著不同的角色，既是冷靜客觀的學者，又是民族的法統代表和國民黨對日國策的決策人，其身份矛盾決定了他的態度必然因時因地而異。就前兩種身份而論，戴季陶的觀點大體不錯。他很早就明確指出日本對外擴張侵略的必然性，斷定政府的更替不可能改變或扭轉基本趨勢，中日兩國間大規模的衝突不可避免，而日本永遠不可能令中國徹底滅亡。同時他又認為，日本對外侵略擴張是明治維新後國力膨脹的結果，帶有全民性，想要扼制或與之對抗，根本的解決辦法，是像日本那樣發展現代化，實現中國自身的富強，並以中國傳統文化彌補日本現代化帶來的種種弊端。

對此，迄今為止的所有批評或肯定，一方面是科學主義與人本主義兩大基本學術流派長期矛盾的延伸，一方面是近代國際政治中世界

18 《日本論·胡序》。

主義與民族主義衝突的變形。世界主義的西方中心色彩與民族自決的有限適用性，至今仍然令學人和政治家們感到困擾，原因在於二者都不是真正客觀、公正、徹底的價值標準與評判法則，只不過是人類社會發展內在矛盾的主觀表現。包括現代化在內的各種解釋東亞後發展社會的理論，都是各執一端或左右擺動，即使剔除意識形態的分歧，認識仍然難免相歧相悖。

19世紀後，中國在東亞的中心地位隨著西方殖民者的侵入日益失落。面對迅速崛起的日本，中國人經歷了複雜的心路歷程，由甲午戰爭前的普遍漠視，到甲午、庚子之間充滿情感拒斥與理智接納的矛盾，學習與抵拒成為並行不悖的兩條主線。庚子以後，演化成排日與親日的對立傾向。新政在某種程度上可以說是全面學習模仿明治維新的產物，不僅大批中國留學生東渡求學，從中央到地方各級各界更派遣大批遊歷官紳前往考察借鑑。為了適應這一潮流，曾編輯出版過許多有關明治維新歷史的書籍，將日本革新變政的內容步驟順序編排，各部門各層面的遊歷官紳按圖索驥，亦步亦趨地加以模仿、引進、吸收。整個新政的內容、步驟、方式，從憲法大綱到各種體制的編制，調查的進行，事業的開展，從朝廷變政到地方創新，至少形式上是明治維新的翻版或影子。

民國成立後，一方面中國改變了單純模仿日本的做法，比較參照先進各國的優劣短長，另一方面，日本咄咄逼人的攻勢和爭霸大陸的野心，激起中國人強烈的反日情緒。戴季陶試圖綜合排日與親日兩種傾向而克服各自的偏頗，但當他將這種態度運用於制定對日政策時，卻助長了對日妥協。以戴季陶的某些言論為日本的侵略擴張辯解，或因此而否定其基本認識與估價，都是簡單化的曲解。戴季陶對日觀的癥結，在於他面對日本的武力進犯，堅持攘外必先安內，採取對外妥協，縱容和刺激了日本的侵華野心。這雖然是國民黨高層的共識，並為一部分知識分子所贊同，卻遭到其它黨派和越來越多的中國民眾的反對。作為對日國策的主持制定者，戴季陶難辭其咎。他因此承受了巨大的心理壓力，曾將解決「9、18」事變的原委過程概括記錄，為自己的行為決策留一說辭。將戴季陶關於日本問題的著述言論及其與日本有關的活動聯繫全部匯集起來，按時序或者分類編排，可為進一步深入研究提供依據。在全面掌握戴季陶對日觀的不同表述，尤其是他與日本各界的交往聯繫以及與中國對日決策相關人士的關係的基礎上，重新考察分析其對日觀，當有更加深刻而貼切的認識。

再版後記

本書初版，已逾十年，相關認識，間有變化之處，隨時有所校訂。原擬再版時略作修改，但一則友人告以最好儘量保持原狀，以便利用；二則調整的認識陸續寫入新的論著之中，可以比較參看。因此，本版只做若干技術性改動：一、因《清末新知識界的社團與活動》同時再版，將本書原有的《孫中山與國內知識界》和《孫中山與留日學界》兩篇改寫過的論文刪去，移入《清末新知識界的社團與活動》之中。二、校正個別字句的錯誤。三、調整、增加自然分段。四、依照現行規定統一規範注釋。五、重新編排徵引文獻。六、增附主要人名索引。

徵引書目

一　著述文獻

白吉庵著：《胡適傳》，北京，人民出版社1993年。
包天笑：《釧影樓回憶錄》，香港，大華出版社1971年。
曹亞伯：《武昌革命真史》，上海，中華書局1930年。
陳鵬仁：《論中國革命與先烈》，臺北，大林出版社1973年。
陳鵬仁譯著：《孫中山先生與日本友人》，臺北，大林出版社1973年。
陳少白致犬養毅函，《辛亥革命史叢刊》第3輯，北京，中華書局1981年。
陳天錫編：《戴季陶先生文存》，臺北，中國國民黨中央委員會，1959年。
陳天錫編：《戴季陶先生文存續編》，臺北，中國國民黨中央委員會黨史史料編纂委員會，1967年。
陳天錫：《戴季陶先生文存三續編》，臺北，中國國民黨中央委員會黨史史料編纂委員會1971年。
陳錫祺主編：《孫中山年譜長編》，北京，中華書局1991年。
陳寅恪：《金明館叢稿二編》，上海古籍出版社1982年。
程光裕：《常溪集》，臺北，中國文化大學出版部1996年。
達林：《中國回憶錄（1921-1927）》，北京，中國社會科學出版社1981年。

戴季陶：《日本論》，上海，民智書局1928年。

丁守和主編：《辛亥革命時期期刊介紹》第2集，北京，人民出版社1982年。

丁文江、趙豐田編：《梁啟超年譜長編》，上海人民出版社1983年。

東亞同文會編：《對支回顧錄》，東京原書房1968年。

東亞同文會編：《續對支回顧錄》，東京，原書房1973年。

東亞文化研究所編：《東亞同文會史》，東京，霞山會1989年。

杜邁之、劉泱泱、李龍如輯：《自立會史料集》，長沙，嶽麓書社1983年。

段雲章、陳敏、倪俊明：《陳炯明的一生》，鄭州，河南人民出版社1989年。

段雲章：《放眼世界的孫中山》，廣州，中山大學出版社1996年。

段雲章：《共產國際、蘇俄對孫中山陳炯明分裂的觀察和評論》，《中山大學學報論叢・近代中國研究叢刊》2000年第3期。

Evelyn Sakakida Rawski: Education and Popular Literacy in Ch’ing China, The University of Michigan Press, 1979。

方志欽主編：《康梁與保皇會——譚良在美國所藏資料彙編》，天津古籍出版社1997年。

〔菲〕葛列格裏奧・F・塞迪著，林啟森譯：《菲律賓革命》，廣東人民出版社1979年。

馮愛群編：《胡適之先生紀念集》，臺北，學生出版社1962年。

馮自由：《革命逸史》，北京，中華書局1981年。

馮自由：《中華民國開國前革命史》，重慶，中國文化服務社1944年。

馮自由：《中國革命運動二十六年組織史》，上海，商務印書館1948年。

高綱博文：《孫文日中ソ提攜論の起源と形成》，日本大學通信教育部通信教育研究所《研究紀要》第6、7合併號，1994年3月。

葛生能久：《東亞先覺志士記傳》，東京，黑龍會出版部1936年。
耿雲志編：《胡適評傳》，上海古籍出版社1999年。
耿雲志：《胡適年譜》，中華書局香港分局1986年。
耿雲志、歐陽哲生編：《胡適書信集》上冊，北京大學出版社1996年。
宮崎龍介、小野川秀美編：《宮崎滔天全集》，東京，平凡社1971年。
宮崎滔天著，佚名初譯，林啟彥改譯、注釋：《三十三年之夢》，廣州，花城出版社、三聯書店香港分店1981年。
故宮博物館編印：《清光緒朝中日交涉史料》，北京，1932年。
廣東省社會科學院歷史研究室、中國社會科學院近代史研究所中華民國史研究室、中山大學歷史系孫中山研究室合編：《孫中山全集》第1卷，北京，中華書局1981年。
廣東省社會科學院歷史研究所、中國社會科學院近代史研究所中華民國史研究室、中山大學歷史系孫中山研究室合編：《孫中山全集》第8、9、10卷，北京，中華書局1986年。
廣東省孫中山研究會主編：《孫中山研究》第1輯，廣州，廣東人民出版社1986年。
廣東省孫中山研究會主編：《孫中山研究》第2輯，廣州，廣東人民出版社1989年。
廣東省哲學社會科學研究所歷史研究室、中國社會科學院近代史研究所中華民國史研究室、中山大學歷史系合編：《孫中山年譜》，北京，中華書局1980年。
廣東省哲學社會科學研究所歷史研究室編：《朱執信集》，北京，中華書局1979年。
郭漢民：《〈唐才常集〉辨誤一則》，《近代史研究》1986年第3期。
國家檔案局明清檔案館編：《戊戌變法檔案史料》，北京，中華書局1958年。

橫山英、曾田三郎編：《中國の近代化と政治的統合》，廣島市，溪水社1992年。

《胡漢民自傳》，中國社會科學院近代史研究所近代史資料編輯組編：《近代史資料》1981年第2期，北京，中國社會科學出版社1981年。

胡明：《胡適傳論》上下卷，北京，人民文學出版社1996年。

《胡適日記》（手稿本），臺北，遠流出版事業股份有限公司1990年影印本。

胡適：The Renaissance in China, Journal of Royal Institute of International Affairs, 1926. Vol.5. No.6. pp.265-279。

湖南省哲學社會科學研究所編：《唐才常集》，北京，中華書局1980年。

湖南省哲學社會科學研究所古代近代史研究室校注：《宋教仁日記》，長沙，湖南人民出版社1980年。

黃季陸：《國父援助菲律賓獨立運動與惠州起義》，《傳記文學》第7卷第5期，1965年11月。

黃建淳：《晚清新馬華僑對國家認同之研究——以賑捐投資封爵為例》，臺北，海外華人研究學會1993年。

黃藻編：《黃帝魂》，羅家倫主編：《中華民國史料叢編》，臺北，中國國民黨中央黨史史料編纂委員會1968年影印。

Jeffrey G.Barlow: Sun yat-sen and the French, 1900-1908，《中國研究專刊》第14期，伯克利加州大學1979年。

姜義華：《章太炎思想研究》，上海人民出版社1985年。

蔣夢麟：《西潮》，瀋陽，遼寧教育出版社1997年。

蔣永敬：《從吳稚暉的留英日記來補正國父幾次旅英日程的缺誤》，《傳記文學》第26卷第3期，1975年3月。

近藤邦康：《井上雅二日記——唐才常自立軍蜂起》，《國家學會雜誌》第98卷第1、2號合刊。

近藤秀樹：《宮崎滔天年譜稿》，《辛亥革命史叢刊》第1輯，北京，中華書局1980年。

菊池貴晴：《現代中國革命の起源》，東京，嚴南堂書店1970年。

李吉奎：《孫中山與劉學詢》，中山大學學報編輯部編：《孫中山研究論叢》第5集，1987年。李吉奎：《孫中山與日本》，廣州，廣東人民出版社1996年。

李瑞清：《清道人遺集》，沈雲龍主編：《中國近代史料叢刊》第42輯之416，臺北，文海出版社1969年。

李廷江：《孫中山委託日本人建立中央銀行一事的考察》，《近代史研究》1985年第5期。

李玉貞主編：《馬林與第一次國共合作》，北京，光明日報出版社1989年。

梁冰弦：《解放別錄》，沈雲龍主編：《近代中國史料叢刊》第19輯之188，臺北，文海出版社1968年。

梁啟超著，何守真校點：《新大陸遊記》，湖南人民出版社1981年。

林誌均編：《飲冰室合集》，上海，中華書局1936年。

劉成禺：《先總理舊德錄》，《國史館館刊》創刊號，1947年12月。

劉曼容：《孫中山與中國國民革命》，廣州，廣東人民出版社1996年。

劉再復：《個性之迷與人物性格的雙向逆反運動》，《評論選刊》1985年第3期。

羅爾綱：《師門五年記．胡適瑣記》，北京，讀書．生活．新知三聯書店1995年。

羅家倫主編：《國父年譜》，臺北，中央文物供應社1958年。

羅志田：《胡適與社會主義的合離》，陳平原、王守常、汪暉主編：《學人》第4輯，江蘇文藝出版社1993年。

羅志田：《再造文明之夢——胡適傳》，成都，四川人民出版社1995年。

羅志田：《走向「政治解決」的「中國文藝復興」——五四前後思想文化運動與政治運動的關係》，《近代史研究》1996年第4期。

駱寶善：《關於章炳麟政治立場轉變的幾篇佚文》，《歷史研究》1982年第5期。

毛注青：《黃興乙巳回湘歷險訂謬》，《辛亥革命史叢刊》編輯組編：《辛亥革命史叢刊》第2輯，北京，中華書局1980年12月。

《毛澤東選集》四卷合訂本，北京，人民出版社1968年。

莫世樣編：《馬君武集》，武漢，華中師範大學出版社1991年。

南劍：《孫中山與胡適》，《中華英烈》1989年第2期。

歐陽哲生編：《胡適文集》，北京大學出版社1998年。

歐陽哲生：《自由主義之累——胡適思想的現代闡釋》，上海人民出版社1993年。

彭國興、劉晴波編：《秦力山集》，北京，中華書局1987年。

《彭西革命書信集，1897-1900》（Mariano Ponce: Cartas Sobre La Revolucion 1897-1900），馬尼拉1934年。

崎村義郎著，久保田文次編：《萱野長知研究》，日本，高知市民圖書館1996年。

秦家林：《孫中山與胡適在新文化運動中的一段交往》，《歷史知識》1986年第6期。

丘權政、杜春和選編：《辛亥革命史料選輯》上冊，湖南人民出版社1981年。

丘權政、杜春和選編：《辛亥革命史料選輯》續編，長沙，湖南人民出版社1983年。

邱捷：《孫中山晚年與皖奉軍閥的聯合和鬥爭》，中山大學《孫中山研究論叢》第1集，1983年。

邱捷：《孫中山上書李鴻章及策動李鴻章「兩廣獨立」新探》，中山大學學報編輯部編：《孫中山研究論叢》第7集，1990年。

邱捷：《越飛與所謂「孫吳合作」》，《近代史研究》1998年第3期。
任建樹、張統模、吳信忠編：《陳獨秀著作選》第2卷，上海人民出版社1993年。
容應萸：《自立軍起義前後的容閎與康梁》，《歷史研究》1994年第3期。
《日本的辛亥革命遺跡與史料》，《辛亥革命研究》第2號。
山口一郎：《近代中國の對日觀》，アジア經濟研究所1969年。
桑兵：《胡適與國際漢學界》，《近代史研究》1999年第1期。
桑兵：《軍國民教育會若干問題的探討》，《孫中山研究論叢》第2集，1984年。
桑兵：《清末新知識界的社團與活動》，北京，讀書・生活・新知三聯書店1995年。
桑兵：《孫中山與留日學生及同盟會的成立》，《中山大學學報》（哲學社會科學版）1982年第4期。
上村希美雄：《從對陽館所藏史料看興漢會的成立》，日本辛亥革命研究會編：《辛亥革命研究》第5號，1985年10月。
上海圖書館編：《汪康年師友書劄》（一），上海古籍出版社1986年。
上海圖書館編：《汪康年師友書劄》（二），上海古籍出版社1986年。
上海圖書館編：《汪康年師友書劄》（三），上海古籍出版社1987年。
上海圖書館編：《汪康年師友書劄》（四），上海古籍出版社1989年。
上海文物保管委員會編：《康有為與保皇會》，上海人民出版社1982年。
尚明軒、王學莊、陳崧編：《孫中山生平事業追憶錄》，北京，人民出版社1986年。
沈渭濱：《孫中山與辛亥革命》，上海人民出版社1993年。
石源華：《陳公博這個人》，上海人民出版社1997年。
史扶鄰：《孫中山與中國革命的起源》，北京，中國社會科學出版社1981年。

松岡好一：《康孫兩黨之近情》，《東亞同文會第13回報告》，1900年12月。

宋教仁：《程家檉革命大事略》，《國史館館刊》第1卷第3期，1948年8月。

手代木公助：《戊戌より庚子に至る革命派と變法派の交涉——當時の日清關係の一斷面》，近代中國研究委員會編：《近代中國研究》第7輯，東京大學出版會1966年。

孫寶瑄：《忘山廬日記》，上海古籍出版社1983年。

孫道昌編：《廣東革命歷史檔匯集：1922年-1924年（群團檔）》，中央檔案館、廣東省檔案館1983年。

《孫中山選集》，北京，人民出版社1956年。

蘇德用：《國父革命運動在檀島》，《國父九十誕辰紀念文集》，臺北，中華文化出版事業社1955年。

湯志鈞：《乘桴新獲——從戊戌到辛亥》，南京，江蘇古籍出版社1990年。

湯志鈞：《孫中山與自立軍》，《歷史研究》1991年第1期。

湯志鈞編：《章太炎年譜長編》上下冊，北京，中華書局1979年。

湯志鈞編：《章太炎政論選集》上下冊，北京，中華書局1977年。

湯志鈞：《自立軍起義前後的孫康關係及其它——新加坡丘菽園家藏資料評析》，《近代史研究》1992年第2期。

唐德剛譯注：《胡適口述自傳》，上海，華東師範大學出版社1993年。

陶季邑：《關於李大釗致胡適一封信的日期及其意義》，《近代史研究》1998年第3期。

藤谷浩悅:《戊戌變法與東亞會》，《史峰》第2號，1989年3月31日。

藤井升三：《孫文の對日態度——辛亥革命時期の滿洲租借問題を中心に》，《石川忠雄教授還曆紀念論文集：現代中國與世界——その政治的展開》，東京，慶應通信1982年。

藤井升三：《孫文の研究》，東京，勁草書房1983年。

田桐：《革命閒話》，《太平雜誌》第1卷第2號，1929年11月。

田野桔次：《最近支那革命運動》，上海，新智社1903年。

汪叔子編：《文廷式集》，北京，中華書局1993年。

王賡武：《東南亞與華人》，北京，友誼出版公司1987年。

王功安、毛磊主編：《國共兩黨關係通史》，武漢大學出版社1991年。

王光遠編：《陳獨秀年譜》，重慶出版社1987年。

王韜著、陳尚凡、任光亮校點：《扶桑日記》，長沙，嶽麓書社1985年。

王照：《小航文存》，沈雲龍主編：《近代中國史料叢刊》第27輯之265，臺北，文海出版社1968年。

韋慕廷著，楊慎之譯：《孫中山——壯志未酬的愛國者》，廣州，中山大學出版社1986年版。吳相湘：《民國百人傳》，臺北，傳記文學出版社1979年。

狹間直樹：《中國近代における日本を媒介とする西洋近代文明の受容に関する基礎的研究》，1997年自印本。

謝纘泰著，江煦棠、馬頌明譯：《中華民國革命秘史》，中國人民政治協商會議廣東省委員會文史資料研究委員會編：《廣東文史資料・孫中山與辛亥革命專輯》，廣州，廣東人民出版社1981年。

辛亥革命研究會編：《中國近代史研究入門》，東京，汲古書院1992年。

許紀霖：《中國自由主義的烏托邦——胡適與「好政府主義」討論》，《近代史研究》1994年第5期。

許介鱗：《近代日本論》，北京，中國文史出版社1989年。

薛君度：《黃興與中國革命》，長沙，湖南人民出版社1980年。

顏清湟著，李恩涵譯：《星馬華人與辛亥革命》，臺北，聯經出版事業公司1982年。

楊愷齡編：《鈕惕生（永建）先生遺劄選集》，沈雲龍編：《近代中國史料叢刊續編》第26輯之254，臺北，文海出版社1976年。
楊天宏：《國民黨與善後會議關係考析》，《近代史研究》2000年第3期。
楊天石：《畢永年生平事蹟鉤沉》，《民國檔案》1991年第3期。
楊天石：《胡適和國民黨的一段糾紛》，《中國文化》1991年第4期。
楊天石：《唐才常佚劄與維新黨人的湖南起義計劃》，《歷史檔案》1988年第3期。
俞辛焞、王振鎖編譯：《孫中山在日活動密錄》，天津，南開大學出版社1990年。
《原敬關係文書》，東京，日本放送出版協會1984年。
章開沅：《辛亥革命與近代社會》，天津人民出版社1985年。
張國燾：《我的回憶》，香港，明報月刊社1966年。
張繼：《回憶錄》，《國史館館刊》第1卷第2號，1948年。
張靜如、馬模貞、廖英、錢自強編：《李大釗生平史料編年》，上海人民出版社1984年。
張難先：《湖北革命知之錄》，上海，商務印書館1946年。
張永福：《南洋與創立民國》，上海，中華書局1938年。
趙鑫珊：《處在「強迫狀態」中的科學家、藝術家或哲學家——精神病學和創造心理學》，《醫學與哲學》（大連）1984年第10期。
鄭子瑜、實藤惠秀編：《黃遵憲與日本友人筆談遺稿》，早稻田大學東洋文學研究會出版，沈雲龍主編：《近代中國史料叢刊續編》第10輯之94，臺北，文海出版社1974年。
中共廣東省黨史研究委員會辦公室、廣東省檔案館編：《廣東檔案史料叢刊・「一大」前後的廣東黨組織》，1981年（內部刊物）。
中共中央黨史研究室第一研究部譯：《共產國際、聯共（布）與中國革命檔案資料叢書》第1、2卷《聯共（布）、共產國際與中國國民革命運動（1920-1925）》，北京圖書館出版社1997年。

中共中央馬克思、恩格斯、列寧、斯大林著作編譯局編：《馬克思恩格斯選集》，北京，人民出版社1972年。

中國第二歷史檔案館編：《中華民國史檔案資料叢刊．善後會議》，北京，檔案出版社1985年。

中國國民黨中央黨史史料編纂委員會編印：《革命先烈先進詩文選集》第4、5冊，臺北，1965年。

中國國民黨中央黨史史料編纂委員會編印：《革命先烈先進傳》，臺北，1965年。

中國國民黨中央黨史史料編纂委員會編印：《吳稚暉先生全集》第5冊第9卷，臺北，1969年。

中國國民黨中央委員會黨史委員會編訂出版：《國父全集》第2冊，臺北，1973年。

中國近代經濟史資料叢刊編輯委員會主編：《中國海關與辛亥革命》，北京，中華書局1983年。

中國史學會編：《中國近代史資料叢刊．辛亥革命》，上海人民出版社1956年。

《中國近代史資料叢刊．戊戌變法》，上海，神州國光社1953年。

中國人民政治協商會議全國委員會文史資料研究委員會編：《辛亥革命回憶錄》第4集，北京，文史資料出版社1981年。

中國人民政治協商會議全國委員會文史資料研究委員會編：《辛亥革命回憶錄》第6集，北京，文史資料出版社1981年。

中國人民政治協商會議湖北省委員會編：《辛亥首義回憶錄》第2輯，武漢，湖北人民出版社1979年。

中國人民政治協商會議廣東省委員會文史資料研究委員會編：《廣東辛亥革命史料》，廣州，廣東新華書店1962年。

中國人民政治協商會議全國委員會、廣東省委員會、廣州市委員會文史資料研究委員會合編：《孫中山三次在廣東建立政權》，北京，中國文史出版社1986年。

中國社會科學院近代史研究所中華民國史研究室編，《胡適的日記》，中華書局香港分局1985年。

中國社會科學院近代史研究所中華民國史組編：《胡適來往書信選》上冊，北京，中華書局1979年。

中國社會科學院近代史研究所近代史資料編輯組編：《華僑與辛亥革命》，北京，中國社會科學出版社1981年。

中國社會科學院現代史研究室、中國革命博物館黨史研究室選編：《「一大」前後：中國共產黨第一次代表大會前後資料選編》（二），北京，人民出版社1980年。

中國社會科學院近代史研究所李玉貞主編：《馬林與第一次國共合作》，北京，光明日報出版社1989年。

中國社會科學院近代史研究所中華民國史研究室、中山大學歷史系孫中山研究室、廣東省社會科學院歷史研究室：《孫中山全集》第2卷，北京，中華書局1982年。

中國社會科學院近代史研究所中華民國研究室、中山大學歷史系孫中山研究室、廣東省社會科學院歷史研究室合編：《孫中山全集》第3、4卷，北京，中華書局1984年。

中國孫中山研究學會編，《孫中山和他的時代——孫中山國際學術討論會文集》，北京，中華書局1989年。

《中國現代革命史資料叢刊・維經斯基在中國的有關資料》，北京，中國社會科學出版社1982年。

《中國現代革命史資料叢刊・馬林在中國的有關資料》，北京，人民出版社1980年。

中華民國開國五十年文獻編纂委員會編印：《中華民國開國五十年文獻》第1編第10、11冊，臺北，1962年。

中南地區辛亥革命史研究會、湖南省歷史學會編：《紀念辛亥革命七十週年青年學術討論會論文選》，北京，中華書局1983年。
中山大學歷史系孫中山研究室、廣東省社會科學院歷史研究所、中國社會科學院近代史研究所中華民國史研究室合編，《孫中山全集》第5、6、7卷，北京，中華書局1985年。
中央檔案館編：《中共中央檔選集（1921-1925）》，北京，中共中央黨校出版社1982年。
周康燮：《陳三立的勤王運動及其與唐才常自立會的關係——跋陳三立與梁鼎芬密劄》，《明報月刊》第9卷第10期，1974年10月。
朱和中：《辛亥革命光復成於武漢之原因及歐洲發起同盟會之經過》，《建國月刊》第2卷第4期，1930年2月。
朱壽朋編，張靜廬等校點：《光緒朝東華錄》，北京，中華書局1958年。
朱維錚：《訄書發微》，王元化主編：《學術集林》卷一，上海，遠東出版社1994年。
鄒魯：《中國國民黨史稿》，重慶，商務印書館1944年。

二　報刊

《北京大學學生周刊》
《北京大學日刊》
《大公報》
《廣州民國日報》
《國史館館刊》
《建國月刊》
《江蘇》
《開智錄》
《晨報》
《大阪每日新聞》
《大陸》
《國民日日報》
《華國月刊》
《建設》
《警鐘日報》
《每周評論》

《民報》
《民國日報》（上海）
《努力》
《時務報》
《蘇報》
《現代評論》
《新民叢報》
《選報》
《知新報》
《中外日報》
《民立報》
《民權報》
《清議報》
《斯文》
《天鐸報》
《嚮導周刊》
《星期評論》
《浙江潮》
《中國旬報》
《傳記文學》

三　檔案

日本外交史料館檔案

索引

二劃

丁文江　16, 23, 24, 26, 27, 30, 31, 35, 37, 38, 103, 110, 154, 192, 193
丁惠康　39, 42
人名索引　389
卜力　3, 50, 55, 56, 57, 58, 59, 60, 61, 62, 63, 64, 65, 66, 68, 69, 70, 71, 74, 75, 76, 300, 301

三劃

下田歌子　76
于右任　142
大隈重信　4, 40, 86, 96, 300, 313, 320
小池張造　97, 300
小西三七　342, 382
小村壽太郎　84
山本憲　40
山專太郎　361
山縣有朋　20, 358

四劃

中川恒次郎　14, 82, 107, 122, 143, 297
中江篤介　16
中村彌六　83
中野熊太郎　102
井上太郎　101
井上雅二　8, 10, 11, 12, 17, 34, 35, 42, 45, 49
內田甲　73, 99, 102
內田良平　60, 68, 95, 98
尤列　90, 97, 128, 153, 154, 155, 156, 157, 158, 272
尹致昊　353, 354
文廷式　10, 43, 46, 145, 272
毛澤東　255, 261, 262
片山潛　345

犬養毅 5, 16, 17, 19, 22, 30, 68, 84, 85, 89, 92, 96, 107, 275, 300, 325, 328, 330, 338
王之春 26
王天培 94
王克私（Philipe de Vargas） 193
王孝縝 94
王邦傑 164
王和順 164
王修植 48
王家駒 94, 130
王善達 94, 130
王揖唐 203
王陽明 175
王照 20, 110
王質甫 8, 11, 71, 86, 89, 90, 116
王璟芳 123
王寵惠 104, 184, 198, 230, 275
王韜 143, 144, 273

五劃

丘逢甲 12, 28
丘震 42
加拉罕 186, 222, 328
加爾根 252
古應芬 94
史青 102
史堅如 11, 35
市川鐵也 102
平山周 5, 6, 9, 17, 20, 41, 44, 55, 58, 62, 67, 72, 83, 85, 86, 88, 90, 98, 110, 111, 116, 239, 247, 276, 286, 298
平岡浩太郎 16, 17, 68, 76, 86, 89, 107
平剛 95
末永節 41, 68, 95, 99, 102
田中侍郎 68
田邦璿 38, 91
田島擔 96, 104
田桐 94, 130, 131, 159, 162, 203
田野桔次 26, 89, 90, 108, 119, 122
白岩龍平 40
白堅武 230

六劃

任鴻雋 185
伊鳳閣 228
伊藤博文 20, 34, 86, 353

光雲錦　203
匡一　94
吉田松陰　16
安重根　352, 353, 354
安泰國　354
安駉壽　333
有賀長雄　360
朱大符　94
朱少穆　94, 114
朱和中　102, 103, 126, 127, 129, 130
朱金鐘　94
朱執信　203, 205, 208, 241, 247, 280
江亢虎　186

七劃

但燾　130
何天炯　94
何心田　157, 158
何東　184, 274
何啟　56, 57, 59, 60, 61, 62, 65, 66, 74, 75
何德如　168
何樹齡　16, 145
余仲勉　94
余范傅　94
克納普　321
吳佩孚　184, 209, 212, 213, 214, 216, 217, 219, 227, 229, 230
吳保初　42
吳春生　94, 130
吳春陽　94, 130
吳傑模　149, 151, 156
吳業琛　157, 158
吳應培　165
吳瀚濤　143, 144
呂志伊　95
宋子文　197, 379
宋少東　153
宋式善　94
宋恕　42
宋教仁　94, 114, 121, 124, 125, 131, 142, 238, 242
尾崎行雄　84, 96
李大釗　181, 197, 213, 214, 215, 226, 227, 228, 229, 230
李文範　94
李立　12
李立亭　12
李仲逵　94
李竹癡　157, 158

李自重　120, 126
李完用　352
李宗黃　260, 261
李金彪　8
李炳寰　91
李峻　94
李敬通　23, 25
李葉乾　94
李劍農　183
李曉生　158
李鴻章　9, 20, 33, 35, 40, 42, 50, 55, 56, 58, 59, 60, 61, 62, 63, 64, 68, 69, 72, 74, 108, 144, 240, 271, 286, 288, 297, 298, 299
杜之杕　94
杜南　271
杜威　86, 172
杜鳳書　170
汪大燮　102
汪立元（劍齋）　42
汪有齡　40, 42, 43, 50, 51, 145, 272
汪康年　4, 7, 12, 15, 32, 39, 40, 41, 42, 43, 44, 45, 46, 48, 49, 50, 51, 52, 74, 93, 144, 145, 247, 272
沈定一　179, 203, 204
沈翔雲　6, 91, 237
沈聯芳　154, 167, 168
沈藎　39, 42, 91
狄平　11, 38, 42, 43, 46
良粥　141
谷思慎　95

八劃

周作人　341, 380
周泳曾　94
周善培　24, 39, 41, 49, 145, 272
周斌　94
周華　170
周獻瑞　168
周鑒湖　101
宗方小太郎　9, 10, 41, 110
居正　159, 203
幸德秋水　347
於德坤　95
易順鼎　48
松岡好一　11, 35
林文慶　33, 150, 151, 152, 153, 160
林玉　12

林圭　6, 7, 10, 23, 38, 71, 90, 91, 107, 108
林伯渠　218
林受之　154, 156
林時爽　162
林航葦　157, 158, 164
林清泉　115
林義順　152, 154, 156, 157, 158, 160, 162, 164, 170
林鳳游　94
林鏡秋　157
近衛篤麿　24, 34, 88
近藤五郎　68
邱菽園　12, 35, 36, 150, 151, 153, 154
邵力子　209
邵元沖　272, 279
金永基　351
金梁　46
金章　94, 211
長島隆二　359
阿奎那多（Emilio Aguinaldo）86

九劃

俞明震　12
南方熊楠　96, 104, 107
姚文甫　139
姚東若　94
姚越　94
後藤新平　359
施存統　225
柏原文太郎　28, 33, 34, 151
柏烈偉　214
柯林斯　274
柳亞廬　44, 93
柳東說　354
柳剛　94
柳暘谷　94
段祺瑞　179, 181, 182, 185, 186, 187, 188, 189, 190, 191, 203, 209, 218, 227, 230
洛克哈特　85
秋山定輔　356, 358, 359
胡惟志（仲翼）　42
胡漢民　158, 159, 160, 161, 162, 165, 167, 203, 205, 241, 252, 254, 280, 289, 331, 356, 358, 382, 385
胡毅生　94, 114, 115, 116, 125, 130
胡適　171, 172, 173, 174, 175,

176, 177, 178, 179, 180, 181, 182, 183, 184, 185, 186, 187, 188, 189, 190, 191, 192, 193, 194, 195, 196, 197, 198, 199, 201, 202, 203, 204, 205, 206, 207, 208, 209, 210, 211, 212, 213, 214, 215, 216, 225, 226, 228, 229, 230, 231, 289, 311
胡懷琛　206
韋玉　63

十劃

原敬　14, 82, 107, 122, 143, 146, 297
唐才常　4, 5, 6, 7, 8, 9, 10, 11, 12, 13, 17, 23, 28, 31, 34, 35, 38, 39, 41, 42, 43, 45, 46, 49, 51, 70, 71, 90, 91, 110, 145, 146, 150
唐才質　8, 11, 110
唐景崧　12
夏曾佑　39, 41, 42, 46, 48, 50, 52
孫丹林　209
孫多森　42
孫棨　94
孫實甫　40, 145
孫鴻哲　118
孫寶瑄　42, 47, 48, 51, 52, 144
宮川五三郎　102
宮崎寅藏　6, 16, 17, 18, 20, 28, 32, 33, 40, 43, 56, 60, 61, 66, 68, 75, 76, 83, 84, 85, 87, 88, 89, 95, 97, 98, 102, 105, 107, 108, 109, 111, 122, 124, 130, 145, 151, 239, 247, 275, 286, 287, 297, 299, 300, 320, 326, 327, 356, 357, 382
容星橋　6, 7, 10, 43, 71, 90, 91, 107, 119
容閎　11, 42, 43, 44, 45, 146, 298
島田經一　99, 102
徐世昌　209, 215
徐勤　13, 16, 17, 18, 23, 24, 25, 26, 27, 28, 40, 101, 105, 140, 141
徐樹錚　179, 203
徐懷禮　13, 38
徐鏡心　95, 130
時功玖　94
柴田麟次郎　68

桂太郎　353, 355, 356, 358, 360, 361
益田孝　358
神鞭知常　84, 85
秦力山　11, 38, 91, 106, 108, 122, 139, 155, 156, 236, 237, 238, 241, 248, 287
秦毓鎏　123
耿伯釗　280
耿覲文　94
袁世凱　254, 255, 257, 260, 297, 299, 301, 313, 359, 360, 366
馬君武　94, 125, 140, 141, 190
馬林　217, 219, 220, 221, 222, 223, 225, 227, 228, 229, 230
高兆奎　94
高劍父　95

十一劃

區金鈞　94, 130
區新　12, 26
區鳳墀　15, 271, 272
康四　12
康白情　206
康有為　4, 5, 7, 12, 13, 14, 16, 17, 18, 19, 20, 21, 23, 24, 25, 26, 27, 28, 29, 32, 33, 34, 35, 36, 37, 38, 39, 40, 41, 43, 44, 46, 49, 50, 61, 62, 68, 70, 71, 74, 101, 110, 140, 143, 145, 146, 150, 151, 152, 154, 241
康吾友　13
康保忠　94
康廣仁　14
康德黎　104, 274
康蔭田　154
張之洞　8, 29, 46, 63, 70
張太雷　217, 218, 224, 225
張永福　103, 154, 155, 156, 157, 158, 159, 160, 163, 168, 170
張玉濤　16, 145
張夷　94
張作霖　202, 218, 221, 222, 227, 230
張國燾　218, 219, 223
張通典　42, 43, 91
張智若　22, 23, 25, 26
張華飛　94, 130
張溥泉　230
張樹楠　94
張繼　94, 114, 223
曹亞伯　94

曹錕　184, 209
梁起鐸　354
梁啟田　25
梁鼎芬　51
梁慕光　115
梅宗炯　96
清藤幸七郎　33, 60, 66, 98, 102, 151, 152
章士釗　91, 108, 114, 122, 133, 136, 237, 241
莫榮新　212
許子麟　157, 158
許世英　179, 182, 185, 203
許行懌　95
許雪秋　154, 156, 158, 160
許緯　94
郭先本　94
郭家偉　94
郭毓奇　94
陳三立　51
陳千秋　14
陳子纓　168
陳公博　211, 215, 216, 217, 218, 224
陳天華　94, 114, 120, 124, 131, 134, 136, 142
陳去病　237
陳仲堯　271
陳先進　168
陳伯莊　188
陳芸生　154, 158
陳侶笙　23, 26
陳炯明　171, 180, 181, 185, 186, 198, 199, 201, 202, 209, 210, 211, 212, 213, 214, 215, 216, 217, 218, 219, 220, 221, 222, 223, 224, 225, 226, 227, 228, 229, 230, 231, 295
陳秋霖　218
陳清　98
陳楚楠　95, 103, 154, 155, 156, 157, 158, 159, 163, 168, 170, 237, 250
陳源　163, 182
陳詩仲　155
陳達材　211, 212, 213, 215, 229
陳嘉庚　168
陳榮恪　94, 130
陳蔭農　101
陳獨秀　179, 182, 187, 189, 190, 203, 208, 209, 212, 213, 214, 215, 216, 217, 218, 219, 220,

221, 223, 224, 226, 227, 228, 229, 366
陳默庵 101
陳翼亭 12
陳寶箴 13
陳騰風 28
陶成章 159, 166, 167
陶亞魂 44, 93
陶鳳集 94
陶德瑤 94, 130
陶鎔 94
陸仲安 180
陸星甫 271
陸實 84, 85
陸榮廷 212
麥仲華 26
麥孟華 23, 24

十二劃

傅斯年 174, 311
傅慈祥 38, 91
傅贊開 12, 26
勞培 170
嵇侃 40
彭西 86, 87, 97, 107, 332, 334
曾昭文 95
曾捷夫 90
曾廣銓 40, 144
曾龍章 94
曾繼梧 94
森恪 358
湯漪 190
湯覺鈍 101
焦易堂 203
程步瀛 270
程家檉 94, 125, 128, 129, 130, 131, 238
賀子才 102
越飛 220, 221, 222, 228, 230
辜天祐 89
鈕永建 138, 139, 141
馮玉祥 266
馮自由 8, 22, 25, 26, 40, 56, 58, 59, 65, 82, 83, 85, 89, 91, 93, 94, 95, 97, 99, 102, 110, 114, 115, 116, 117, 118, 119, 120, 122, 128, 130, 132, 152, 157, 279, 298
黃乃裳 152, 153, 156, 158, 167
黃世仲 154
黃吉宸 168
黃伯耀 154, 155

黃季陸　278
黃宗仰　106, 109, 116, 117, 125
黃居素　218
黃忠浩　13
黃怡益（康衢）　149
黃明堂　164
黃為之　23, 26, 27
黃超如　94
黃福　153, 369
黃興　94, 114, 120, 121, 125, 161, 162, 164, 169, 252, 301
黃遵憲　144, 341, 380
黃耀庭　153, 157, 158
黃鶴鳴　170

十三劃

塗宗武　94
楊圻　166
楊廷棟　236
楊肖歐　22
楊金龍　8
楊匏安　226
楊森　229
楊漢川　271
楊鴻鈞　8, 9, 90
溫炳臣　85, 96
瑞天咸　152
經元善　31, 51
萬福華　237
萱野長知　160, 276, 382
葉佩薰　94
葉湘南　30
葉瀚　39, 42, 49
達林　218, 219
鄒代鈞　41, 281
鄒容　117, 128, 138, 139, 155, 241
鈴木力　68

十四劃

壽富　46
廖仲愷　173, 175, 176, 177, 178, 203, 205, 211, 367
熊希齡　13
福本誠　68
維經斯基　214, 217, 220, 221, 222
賓敏陔　130
趙從藩（仲宣）　42
趙雲龍　8
趙爾巽　190
趙蘭生　16

十五劃

劉一清　94, 130
劉成禺　102, 128, 130, 287
劉通　94
劉揆一　114
劉道一　94, 114
劉熙　172
劉學詢　9, 33, 40, 41, 50, 60, 61, 62, 68, 69, 70, 72, 74, 75, 82, 83, 101, 107, 151, 240, 272, 297, 298
劉樹湘　94
劉鴻石　157, 158
德富蘇峰　345
樊錐　140
歐榘甲　20, 22, 23, 24, 25, 26, 27, 28, 103, 140
潘佩珠　332, 333
範治煥　94
範熙績　94
蔡元培　213
蔡和森　217, 223, 224, 225, 227
蔡承煜　91
蔡鍾浩　91
蔣介石　197, 367, 368
蔣玉田　157, 158
蔣作賓　94
蔣尊簋　94, 114
蔣夢麟　172, 228
蔣維喬　238
衛金生　274
鄧子瑜　157, 158, 160
鄧彥華　281
鄧家彥　94, 121, 125
鄧澤如　170
鄭提摩太　164
鄭聘廷　163, 164
鄭葆晟　91
鄭觀應　42
黎元洪　183, 212
黎勇錫　94, 114
黎科　38, 91
黎煥墀　85
黎薩　332

十六劃

樸泳孝　332
盧汝翼　94
盧葦航　168
盧耀堂　168
蕭百川　157, 158, 160

蕭竹漪　158
賴桂山　270
錢恂　49
閻錫山　229
霍都洛夫　228
鮑羅廷　186, 187, 197

十七劃

戴季陶　203, 204, 205, 206, 208, 276, 289, 315, 341, 342, 343, 344, 345, 346, 347, 348, 349, 350, 351, 352, 353, 354, 355, 356, 357, 358, 359, 360, 361, 363, 365, 366, 367, 368, 369, 370, 371, 372, 373, 374, 375, 376, 377, 378, 379, 380, 381, 382, 383, 384, 385, 386
戴璧萊　332
謝心準　158
謝良牧　203
謝延譽　94
謝纘泰　4, 7, 14, 15, 19, 20, 43, 56, 65, 68, 82, 90, 98, 108, 118, 122, 310
韓文舉　22, 23, 25, 26, 40

十八劃

藍得中　94
鄺華汰　96, 115

十九劃

羅仲霍　160
羅伯雅　23, 25, 26
羅則軍　170
羅普　23, 24
羅綺園　226
譚柏生　23, 26
譚植棠　215, 216, 218, 224, 225, 226
譚嗣同　39, 42, 110
譚鸞翰　94
韜美　84, 99

二十劃

嚴復　15, 42

二十一劃

顧頡剛　192, 195

近現代中華文化思想叢刊 A0102004

孫中山的活動與思想　下冊

作　　者　桑　兵
責任編輯　楊家瑜

發 行 人　陳滿銘
總 經 理　梁錦興
總 編 輯　陳滿銘
副總編輯　張晏瑞
編 輯 所　萬卷樓圖書股份有限公司
排　　版　林曉敏
印　　刷　百通科技股份有限公司
封面設計　菩薩蠻數位文化有限公司

出　　版　昌明文化有限公司
桃園市龜山區中原街 32 號
電話 (02)23216565
發　　行　萬卷樓圖書股份有限公司
臺北市羅斯福路二段 41 號 6 樓之 3
電話 (02)23216565
傳真 (02)23218698
電郵 SERVICE@WANJUAN.COM.TW
大陸經銷
廈門外圖臺灣書店有限公司
電郵 JKB188@188.COM

ISBN 978-986-496-102-3
2018 年 1 月初版
定價：新臺幣 320 元

如何購買本書：

1. 劃撥購書，請透過以下郵政劃撥帳號：
   帳號：15624015
   戶名：萬卷樓圖書股份有限公司
2. 轉帳購書，請透過以下帳戶
   合作金庫銀行　古亭分行
   戶名：萬卷樓圖書股份有限公司
   帳號：0877717092596
3. 網路購書，請透過萬卷樓網站
   網址 WWW.WANJUAN.COM.TW

大量購書，請直接聯繫我們，將有專人為您服務。客服：(02)23216565 分機 610

如有缺頁、破損或裝訂錯誤，請寄回更換

國家圖書館出版品預行編目資料

孫中山的活動與思想 / 桑兵著. -- 初版. -- 桃園市 : 昌明文化出版 ; 臺北市 : 萬卷樓發行, 2018.01
冊 ;　公分. -- (中華文化思想叢書)
ISBN 978-986-496-102-3(下冊 : 平裝)
1.孫中山思想
005.18　107001270